문제로 개념 잡는 초등 영문법

Grammar, ZAP!

심화 1

구성과 특징

- 짜임새 있게 구성된 커리큘럼
- 쉬운 설명과 재미있는 만화로 개념 쏙쏙
- 단계별 연습 문제를 통한 정확한 이해
- 간단한 문장 쓰기로 완성

① Preview In Storytelling

- 본격적인 학습에 앞서 Unit 학습 내용과 관련된 기본 개념들을 동갑내기 친구인 산이와 민지, 시경이와 연아의 스토리를 통해 흥미롭고 재미있게 접할 수 있도록 도와줍니다.

② Grammar Point

- 해당 Unit의 문법 개념을 다양한 예시문과 함께 쉽게 풀어서 설명하고, 재미있는 만화로 간단한 문장 속에서 문법을 익힐 수 있게 도와줍니다.

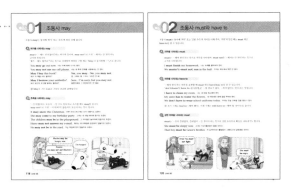

③ Grammar Walk

- 학습 내용을 잘 이해했는지 간단하게 확인하는 문제입니다. 가장 기초적인 연습 문제로 단어 쓰기, 2지 선택형, 배합형(match) 등으로 구성하였습니다.

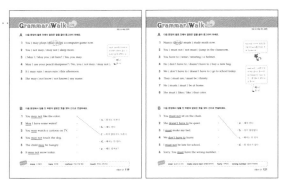

Grammar, Z▲P!

VOCABULARY
단어장

QR 찍고 단어+문장 듣기

CHUNJAE EDUCATION, INC.

심화 1

Aha!

" 단어장 활용 방법 "

각 Unit의 학습 내용과 관련된 핵심 단어들을 확인합니다.

우리말 뜻을 보며 정확하게 이해하면서 외워 봐요.

이때 영어 단어는 개별적으로 외우지 말고 문장과 함께 외우도록 합니다.

퀴즈를 풀며 잘 모르는 단어는 다시 한 번 확인해 보는 것도 잊지 마세요!

Grammar, ZAP!

VOCABULARY
단어장

심화 1

01	**thirsty** 형 목이 마른	I am thirsty. 나는 목이 마르다.
02	**brush** 통 솔질[빗질/칫솔질]하다	She brushes her teeth after dinner. 그녀는 저녁 식사 후에 이를 닦는다.
03	**fly** 통 날다, 날리다	He flies a model airplane on Sunday. 그는 일요일에 모형 비행기를 날린다.
04	**exercise** 통 운동하다	My brother exercises every morning. 우리 오빠는 매일 아침 운동을 한다.
05	**skateboard** 명 스케이트보드	Tony has a nice skateboard. 토니는 멋진 스케이트보드를 가지고 있다.
06	**action movie** 액션 영화	I don't like action movies. 나는 액션 영화를 좋아하지 않는다.
07	**pineapple** 명 파인애플	My sister doesn't eat pineapple. 우리 언니는 파인애플을 먹지 않는다.
08	**take a walk** 산책하다	Do they take a walk every morning? 그들은 매일 아침 산책을 하니?
09	**fire station** 소방서	Kate and I are at the fire station. 케이트와 나는 소방서에 있다.
10	**squirrel** 명 다람쥐	There are two squirrels in the tree. 나무에 다람쥐 두 마리가 있다.

01	**feed** 통 먹이를 주다	He feeds his dog in the afternoon. 그는 오후에 자기 개에게 먹이를 준다.
02	**grade** 명 학년	Is your sister in the second grade? 네 여동생은 2학년이니?
03	**need** 통 필요로 하다	Do you need an alarm clock? 너는 자명종이 필요하니?
04	**dessert** 명 디저트, 후식	The boy wants ice cream for dessert. 그 남자아이는 후식으로 아이스크림을 원한다.
05	**be from** ~ 출신이다	They are from Canada. 그들은 캐나다 출신이다.
06	**usually** 부 보통, 대개	Does Jason usually go to bed at 10? 제이슨은 보통 10시에 잠자리에 드니?
07	**jump rope** 줄넘기를 하다	Do they jump rope every morning? 그들은 매일 아침 줄넘기를 하니?
08	**yard** 명 마당	We are in the yard. 우리는 마당에 있다.
09	**pond** 명 연못	There are a lot of ducks in the pond. 연못에 오리들이 많이 있다.
10	**delicious** 형 아주 맛있는	This cake is very delicious. 이 케이크는 무척 맛있다.

✖ 다음 영어에 알맞은 우리말 뜻을 빈칸에 쓰세요.

01   thirsty   _____

02   brush   _____

03   fly   _____

04   exercise   _____

05   skateboard   _____

06   action movie   _____

07   pineapple   _____

08   take a walk   _____

09   fire station   _____

10   squirrel   _____

✖ 다음 우리말 뜻에 알맞은 영어를 빈칸에 쓰세요.

01 먹이를 주다 _____

02 학년 _____

03 필요로 하다 _____

04 디저트, 후식 _____

05 ~ 출신이다 _____

06 보통, 대개 _____

07 줄넘기를 하다 _____

08 마당 _____

09 연못 _____

10 아주 맛있는 _____

01	**stadium** ⑲ 경기장	I was at the stadium yesterday. 나는 어제 경기장에 있었다.
02	**move** ⑧ 옮기다, 이사하다	Did they move to Busan last month? 그들은 지난달에 부산으로 이사했니?
03	**arrive** ⑧ 도착하다	The train arrived at 11 o'clock. 그 기차는 11시에 도착했다.
04	**wear** ⑧ 입다	She wore a beautiful dress to the party. 그녀는 파티에서 아름다운 드레스를 입고 있었다.
05	**catch** ⑧ 잡다, 받다	My father caught a big fish at the lake. 우리 아버지는 호수에서 큰 물고기를 잡으셨다.
06	**museum** ⑲ 박물관	I didn't go to the museum yesterday. 나는 어제 박물관에 가지 않았다.
07	**then** ⑨ 그때	We weren't happy then. 우리는 그때 행복하지 않았다.
08	**have a cold** 감기에 걸리다	Did you have a cold then? 너는 그때 감기에 걸렸었니?
09	**concert** ⑲ 연주회, 콘서트	I wasn't late for the concert. 나는 그 콘서트에 늦지 않았다.
10	**all day** 온종일	I was busy all day last Sunday. 나는 지난 일요일에 온종일 바빴다.

01 carry
통 나르다

I carried the heavy boxes yesterday.
나는 어제 무거운 상자들을 날랐다.

02 lake
명 호수

Did they see a beautiful lake yesterday?
그들은 어제 아름다운 호수를 봤니?

03 find
통 찾다, 발견하다

We found the key under the bed.
우리는 침대 밑에서 열쇠를 발견했다.

04 outside
부 밖[야외]에서

They had lunch outside.
그들은 밖에서 점심 식사를 했다.

05 ago
부 (얼마의 시간) 전에

I sent her e-mail an hour ago.
나는 한 시간 전에 그녀에게 이메일을 보냈다.

06 text message
문자 메시지

Dana sent a text message to her friend.
다나는 자기 친구에게 문자 메시지를 보냈다.

07 beach
명 해변, 바닷가

The family wasn't at the beach last weekend.
그 가족은 지난 주말에 해변에 있지 않았다.

08 aquarium
명 수족관

We didn't go to the aquarium by bus.
우리는 수족관에 버스를 타고 가지 않았다.

09 shop
통 사다, 쇼핑하다

My mother didn't shop at the market.
우리 어머니는 그 시장에서 물건을 사지 않으셨다.

10 theater
명 극장

He was at the theater then.
그는 그때 극장에 있었다.

02 과거 시제

✖ 다음 영어에 알맞은 우리말 뜻을 빈칸에 쓰세요.

01 stadium　　　　_____

02 move　　　　　_____

03 arrive　　　　_____

04 wear　　　　　_____

05 catch　　　　　_____

06 museum　　　　_____

07 then　　　　　_____

08 have a cold　　_____

09 concert　　　　_____

10 all day　　　　_____

✖ 다음 우리말 뜻에 알맞은 영어를 빈칸에 쓰세요.

01   나르다 _____

02   호수 _____

03   찾다, 발견하다 _____

04   밖[야외]에서 _____

05   (얼마의 시간) 전에 _____

06   문자 메시지 _____

07   해변, 바닷가 _____

08   수족관 _____

09   사다, 쇼핑하다 _____

10   극장 _____

01	**later** 및 나중에, 후에	I will call you later. 나는 나중에 네게 전화할 것이다.
02	**pass** 통 (시험에) 합격[통과]하다	Will he pass the test? 그는 그 시험에 통과할까?
03	**clean** 통 청소하다	Junho will clean his room every day. 준호는 매일 자기 방을 청소할 것이다.
04	**airport** 명 공항	They will arrive at the airport soon. 그들은 곧 공항에 도착할 것이다.
05	**close** 통 문을 닫다	The store will close at 9:30 p.m. 그 가게는 오후 9시 30분에 문을 닫을 것이다.
06	**join** 통 가입하다	He is going to join an art club. 그는 미술 동아리에 가입할 것이다.
07	**stay** 통 계속 있다, 머무르다	Are you going to stay at your uncle's home? 너는 네 삼촌 댁에서 머무를 거니?
08	**stay up late** 늦게까지 자지 않고 있다	I will not stay up late tonight. 나는 오늘 밤에 늦게까지 깨어 있지 않을 것이다.
09	**tell a lie** 거짓말하다	Dave won't tell a lie to his mom. 데이브는 자기 엄마에게 거짓말하지 않을 것이다.
10	**City Hall** 시청	Are you going to take the subway to City Hall? 너는 지하철을 타고 시청에 갈 거니?

01	**take a rest** 쉬다	I'm going to take a rest. 나는 쉴 것이다.
02	**farm** 명 농장	We are going to ride horses on the farm. 우리는 농장에서 말을 탈 것이다.
03	**keep the rules** 규칙을 지키다	You will keep the rules. 너는 규칙을 지킬 것이다.
04	**bring** 통 가져오다	Bora is going to bring a camera. 보라는 카메라를 가져올 것이다.
05	**roof** 명 지붕	He is going to fix the roof. 그는 지붕을 고칠 것이다.
06	**invite** 통 초대하다	She's going to invite Bill to her home. 그녀는 빌을 자기 집에 초대할 것이다.
07	**windy** 형 바람이 많이 부는	It isn't windy and cold today. 오늘은 바람이 많이 불지 않고 춥지도 않다.
08	**regularly** 부 규칙적으로	Junho will exercise regularly. 준호는 규칙적으로 운동할 것이다.
09	**junk food** 정크 푸드	Junho won't eat too much junk food. 준호는 정크 푸드를 너무 많이 먹지 않을 것이다.
10	**Chinese** 명 중국어, 중국인	One student is going to learn Chinese. 한 명의 학생이 중국어를 배울 것이다.

11

✖ 다음 영어에 알맞은 우리말 뜻을 빈칸에 쓰세요.

01 later   _____

02 pass   _____

03 clean   _____

04 airport   _____

05 close   _____

06 join   _____

07 stay   _____

08 stay up late   _____

09 tell a lie   _____

10 City Hall   _____

✄ 다음 우리말 뜻에 알맞은 영어를 빈칸에 쓰세요.

01   쉬다   _____

02   농장   _____

03   규칙을 지키다   _____

04   가져오다   _____

05   지붕   _____

06   초대하다   _____

07   바람이 많이 부는   _____

08   규칙적으로   _____

09   정크 푸드   _____

10   중국어, 중국인   _____

| 01 | **kite**
몡 연 | He is flying a kite.
그는 연을 날리고 있다. |

| 02 | **train station**
기차역 | They were going to the train station.
그들은 기차역에 가고 있었다. |

| 03 | **water**
통 물을 주다 | Are you watering the flowers?
너는 꽃에 물을 주고 있니? |

| 04 | **look for**
~을 찾다 | Is Mom looking for a key?
엄마가 열쇠를 찾고 계시니? |

| 05 | **wait for**
~를 기다리다 | Were you waiting for me?
너는 나를 기다리고 있었니? |

| 06 | **have fun**
재미있게 놀다 | We are having fun at the camp.
우리는 캠프에서 즐겁게 지내고 있다. |

| 07 | **gym**
몡 체육관 | The students are exercising in the gym.
그 학생들은 체육관에서 운동을 하고 있다. |

| 08 | **on the phone**
전화로 | I was talking on the phone then.
나는 그때 전화로 이야기하고 있었다. |

| 09 | **stationery store**
문구점 | We aren't going to the stationery store.
우리는 문구점에 가고 있지 않다. |

| 10 | **chat**
통 수다를 떨다 | Was Cathy chatting with you?
캐시는 너와 수다를 떨고 있었니? |

01	**pick** 동 (과일 등을) 따다	We are picking apples in the yard. 우리는 마당에서 사과를 따고 있다.
02	**shoelace** 명 신발 끈, 구두끈	The man isn't tying his shoelaces. 그 남자는 신발 끈을 묶고 있지 않다.
03	**poster** 명 포스터, 벽보	Dana was making a poster. 다나는 포스터를 만들고 있었다.
04	**paint** 동 페인트칠하다, 그리다	Are they painting the table? 그들은 탁자에 페인트칠하고 있니?
05	**cross** 동 건너다	Were you crossing the street? 너는 길을 건너고 있었니?
06	**carpet** 명 카펫, 양탄자	He lies on the carpet. 그는 양탄자에 눕는다.
07	**much** 부 많이	It didn't snow much. 눈이 많이 내리지 않았다.
08	**take a picture** 사진을 찍다	We were taking pictures. 우리는 사진을 찍고 있었다.
09	**cry** 동 울다, 외치다	A cat was crying last night. 지난밤에 고양이 한 마리가 울고 있었다.
10	**teach** 동 가르치다	Was your uncle teaching English? 너희 삼촌은 영어를 가르치고 계셨니?

✖ 다음 영어에 알맞은 우리말 뜻을 빈칸에 쓰세요.

01 kite _____

02 train station _____

03 water _____

04 look for _____

05 wait for _____

06 have fun _____

07 gym _____

08 on the phone _____

09 stationery store _____

10 chat _____

✖ 다음 우리말 뜻에 알맞은 영어를 빈칸에 쓰세요.

01 (과일 등을) 따다 _____

02 신발 끈, 구두끈 _____

03 포스터, 벽보 _____

04 페인트칠하다, 그리다 _____

05 건너다 _____

06 카펫, 양탄자 _____

07 많이 _____

08 사진을 찍다 _____

09 울다, 외치다 _____

10 가르치다 _____

01	**guitar** 명 기타	I can play the guitar. 나는 기타를 칠 수 있다.
02	**soda** 명 탄산음료	I won't drink too much soda. 나는 탄산음료를 너무 많이 마시지 않을 것이다.
03	**drama club** 연극부	Will James join the drama club? 제임스가 연극부에 가입할까?
04	**flute** 명 플루트	She cannot play the flute. 그녀는 플루트를 불지 못한다.
05	**right now** 지금은, 지금 당장	We can't help you right now. 우리는 지금 당장 너를 도울 수 없다.
06	**come back** 돌아오다	They won't come back soon. 그들은 곧 돌아오지 않을 것이다.
07	**race** 명 경주, 달리기 (시합)	Will he win the race? 그는 그 경주에서 이길까?
08	**stapler** 명 스테이플러	Can I use your stapler? 내가 네 스테이플러를 사용해도 되니?
09	**problem** 명 문제	I can solve this math problem. 나는 이 수학 문제를 풀 수 있다.
10	**ask** 동 묻다, 물어보다	Can I ask you a question? 내가 네게 질문을 해도 되니?

01 **table tennis**
탁구

You can play table tennis.
너[너희]는 탁구를 칠 수 있다.

02 **plant**
명 식물, 초목

Tony will water the plants.
토니는 그 식물에 물을 줄 것이다.

03 **go sledding**
썰매를 타러 가다

We can go sledding in winter.
우리는 겨울에 썰매를 타러 갈 수 있다.

04 **bake**
동 굽다

Are you able to bake cookies?
너는 쿠키를 구울 수 있니?

05 **remember**
동 기억하다

I could remember her name.
나는 그녀의 이름을 기억할 수 있었다.

06 **borrow**
동 빌리다

Can I borrow your book?
내가 네 책을 빌려도 되니?

07 **mall**
명 쇼핑몰

I could not meet Sally at the mall.
나는 쇼핑몰에서 샐리를 만나지 못했다.

08 **bookcase**
명 책장

Can he move that bookcase?
그는 저 책장을 옮길 수 있니?

09 **drive**
동 태워다 주다

Can you drive me to school, please?
저를 학교까지 태워다 주실 수 있나요?

10 **turn off**
동 (전기 등을) 끄다

Can you turn off the light?
불을 꺼 줄 수 있니?

✖ 다음 영어에 알맞은 우리말 뜻을 빈칸에 쓰세요.

01   guitar   _____

02   soda   _____

03   drama club   _____

04   flute   _____

05   right now   _____

06   come back   _____

07   race   _____

08   stapler   _____

09   problem   _____

10   ask   _____

✄ 다음 우리말 뜻에 알맞은 영어를 빈칸에 쓰세요.

01   탁구   _____

02   식물, 초목   _____

03   썰매를 타러 가다   _____

04   굽다   _____

05   기억하다   _____

06   빌리다   _____

07   쇼핑몰   _____

08   책장   _____

09   태워다 주다   _____

10   (전기 등을) 끄다   _____

01	**playground** 명 놀이터, 운동장	The children may be in the playground. 그 아이들은 놀이터에 있을지도 모른다.
02	**touch** 동 만지다, 건드리다	You may not touch the dog. 너는 그 개를 만지면 안 된다.
03	**school uniform** 교복	We don't have to wear school uniforms today. 우리는 오늘 교복을 입을 필요가 없다.
04	**sleepy** 형 졸린	She must be sleepy now. 그녀는 지금 틀림없이 졸릴 것이다.
05	**hurry** 동 서두르다	We don't have to hurry. 우리는 서두를 필요가 없다.
06	**wrong number** 잘못된 전화번호	You must have the wrong number. 당신은 잘못된 전화번호를 누른 것이 틀림없습니다.
07	**question** 명 질문	May I ask you a question? 제가 당신에게 질문을 해도 될까요?
08	**true** 형 사실인, 참인	The news may be true. 그 소식은 사실일지도 모른다.
09	**comb** 동 빗다	I have to comb my hair. 나는 내 머리카락을 빗어야 한다.
10	**leave** 동 ~을 남기다	May I leave a message? 제가 전갈을 남겨도 될까요?

01	**tell a lie** 거짓말하다	We must not tell a lie. 우리는 거짓말을 하면 안 된다.
02	**before dark** 어두워지기 전에	I must come home before dark. 나는 어두워지기 전에 집에 와야 한다.
03	**contest** 명 대회	She must win the singing contest. 그녀는 틀림없이 노래 대회에서 우승할 것이다.
04	**talk to** ~에게 말하다	May I talk to you now? 제가 지금 당신에게 이야기해도 될까요?
05	**stand in line** 일렬로 나란히 서다	You have to stand in line. 너는 줄을 서야 한다.
06	**travel** 동 여행하다	My family may travel next month. 우리 가족은 다음 달에 여행을 갈지도 모른다.
07	**seat belt** 안전띠, 안전벨트	We must wear a seat belt. 우리는 안전띠를 매야 한다.
08	**look** 동 ~처럼[해] 보이다	It looks nice. 그것이 좋아 보인다.
09	**chew gum** 껌을 씹다	We must not chew gum in class. 우리는 수업 중에 껌을 씹으면 안 된다.
10	**stairs** 명 계단	We must not run on the stairs. 우리는 계단에서 달리면 안 된다.

✖ 다음 영어에 알맞은 우리말 뜻을 빈칸에 쓰세요.

01   playground   _____

02   touch   _____

03   school uniform   _____

04   sleepy   _____

05   hurry   _____

06   wrong number   _____

07   question   _____

08   true   _____

09   comb   _____

10   leave   _____

✖ 다음 우리말 뜻에 알맞은 영어를 빈칸에 쓰세요.

01　거짓말하다

02　어두워지기 전에

03　대회

04　~에게 말하다

05　일렬로 나란히 서다

06　여행하다

07　안전띠, 안전벨트

08　~처럼[해] 보이다

09　껌을 씹다

10　계단

01	**subway** 몡 지하철	We had better take the subway. 우리는 지하철을 타는 것이 좋겠다.
02	**smell** 동 냄새가 나다	This milk smells bad. 이 우유는 상한 냄새가 난다.
03	**dentist** 몡 치과 의사	You had better go to the dentist. 너는 치과에 가는 것이 좋겠다.
04	**toothache** 몡 치통	I have a toothache. 나는 이가 아프다.
05	**turn down** (소리 등을) 낮추다	Shall I turn down the volume? 내가 소리를 줄일까?
06	**lend** 동 빌려 주다	Will you lend me your book? 내게 네 책을 빌려 주겠니?
07	**lunch box** 도시락	You should bring your lunch box. 너는 네 도시락을 가져오는 것이 좋겠다.
08	**forget** 동 잊다, 잊어버리다	We had better not forget our homework. 우리는 숙제를 잊어버리지 않는 것이 좋겠다.
09	**throw away** 버리다	You shouldn't throw away the trash here. 너는 여기에 쓰레기를 버리지 않는 것이 좋겠다.
10	**in class** 수업 중에	You had better be quiet in class. 너는 수업 중에 조용히 하는 것이 좋겠다.

01	**tease** 통 놀리다, 장난하다	You had better not tease her. 너는 그녀를 놀리지 않는 것이 좋겠다.
02	**lock** 통 잠그다	You had better lock the door. 너는 문을 잠그는 것이 좋겠다.
03	**waste** 통 낭비하다	We should not waste water. 우리는 물을 낭비하지 않는 것이 좋겠다.
04	**shout** 통 외치다, 소리치다	He should not shout on the street. 그는 거리에서 소리를 지르지 않는 것이 좋겠다.
05	**secret** 명 비밀	Shall I tell you a secret? 내가 너에게 비밀을 말해 줄까?
06	**bad cold** 독감	I have a bad cold. 나는 독감에 걸렸다.
07	**become** 통 ~이 되다	I would like to become a fashion designer. 나는 패션 디자이너가 되고 싶다.
08	**famous** 형 유명한	You will be a famous designer. 너는 유명한 디자이너가 될 것이다.
09	**give** 통 주다, 건네주다	Will you give me a newspaper? 내게 신문 좀 주겠니?
10	**send** 통 보내다, 발송하다	Will you send me a text message? 내게 문자 메시지를 보내 주겠니?

✖ 다음 영어에 알맞은 우리말 뜻을 빈칸에 쓰세요.

01   subway   _____

02   smell   _____

03   dentist   _____

04   toothache   _____

05   turn down   _____

06   lend   _____

07   lunch box   _____

08   forget   _____

09   throw away   _____

10   in class   _____

✖ 다음 우리말 뜻에 알맞은 영어를 빈칸에 쓰세요.

01 놀리다, 장난하다 _____

02 잠그다 _____

03 낭비하다 _____

04 외치다, 소리치다 _____

05 비밀 _____

06 독감 _____

07 ～이 되다 _____

08 유명한 _____

09 주다, 건네주다 _____

10 보내다, 발송하다 _____

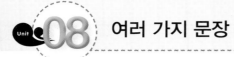
01 **go for a walk**
산책하러 가다

Let's go for a walk.
산책하러 가자.

02 **smart**
혱 똑똑한, 영리한

What a smart girl she is!
그녀는 아주 영리한 여자아이구나!

03 **healthy**
혱 건강한

Exercise regularly, and you will be healthy.
규칙적으로 운동해라, 그러면 너는 건강해질 것이다.

04 **lazy**
혱 게으른

The boys weren't lazy, were they?
그 남자아이들은 게으르지 않았어, 그렇지?

05 **scary**
혱 무서운, 겁나는

She doesn't like scary movies, does she?
그녀는 공포 영화를 좋아하지 않아, 그렇지?

06 **grass**
몡 풀, 잔디

Don't walk on the grass, will you?
잔디 위를 걷지 마라, 알았지?

07 **snowball fight**
눈싸움

Let's have a snowball fight, shall we?
눈싸움하자, 그럴래?

08 **carefully**
튄 주의하여, 조심스럽게

Listen carefully to me.
내 말을 주의해서 들어라.

09 **worry**
툉 걱정하다

Don't worry about the exam.
시험에 대해 걱정하지 마라.

10 **miss**
툉 놓치다

Hurry up, or you will miss the train.
서둘러라, 그러지 않으면 너는 그 기차를 놓칠 것이다.

01	**get wet** 물에 젖다	Take an umbrella, or you will get wet. 우산을 가져가라. 그러지 않으면 너는 비에 젖을 것이다.
02	**exciting** 형 신 나는, 흥미진진한	What an exciting movie it is! 그것은 매우 흥미진진한 영화구나!
03	**turn into** ~로 변하다[바뀌다]	A caterpillar turns into a butterfly, doesn't it? 애벌레는 나비로 변해. 그렇지 않니?
04	**trash** 명 쓰레기	Put the trash in the trash can, will you? 쓰레기는 쓰레기통에 버려라. 알았지?
05	**get angry** 화가 나다. 화를 내다	Clear your desk, or Mom will get angry. 네 책상을 치워라. 그러지 않으면 엄마가 화내실 것이다.
06	**brave** 형 용감한	What a brave boy he is! 그는 무척 용감한 남자아이구나!
07	**lift** 동 들어 올리다	The man can't lift the rock, can he? 그 남자는 그 바위를 들어 올릴 수 없어. 그렇지?
08	**make a fire** 불을 피우다	Don't make a fire in the mountains, will you? 산에서 불을 피우지 마라. 알았지?
09	**difficult** 형 어려운, 힘든	What a difficult question it is! 그것은 매우 어려운 질문이구나!
10	**take care of** ~을 돌보다	You will take care of the dog, won't you? 네가 개를 돌볼 거야. 그렇지 않니?

✘ 다음 영어에 알맞은 우리말 뜻을 빈칸에 쓰세요.

01 go for a walk

02 smart

03 healthy

04 lazy

05 scary

06 grass

07 snowball fight

08 carefully

09 worry

10 miss

✖ 다음 우리말 뜻에 알맞은 영어를 빈칸에 쓰세요.

01   물에 젖다   _____

02   신 나는, 흥미진진한   _____

03   ~로 변하다[바뀌다]   _____

04   쓰레기   _____

05   화가 나다, 화를 내다   _____

06   용감한   _____

07   들어 올리다   _____

08   불을 피우다   _____

09   어려운, 힘든   _____

10   ~을 돌보다   _____

Answers

Unit 01 현재 시제

Quiz 01

1 목이 마른
2 솔질[빗질/칫솔질]하다
3 날다, 날리다
4 운동하다
5 스케이트보드
6 액션 영화
7 파인애플
8 산책하다
9 소방서
10 다람쥐

Quiz 02

1 feed
2 grade
3 need
4 dessert
5 be from
6 usually
7 jump rope
8 yard
9 pond
10 delicious

Unit 02 과거 시제

Quiz 01

1 경기장
2 옮기다, 이사하다
3 도착하다
4 입다
5 잡다, 받다
6 박물관
7 그때
8 감기에 걸리다
9 연주회, 콘서트
10 온종일

Quiz 02

1 carry
2 lake
3 find
4 outside
5 ago
6 text message
7 beach
8 aquarium
9 shop
10 theater

Unit 03 미래 시제

Quiz 01

1 나중에, 후에
2 (시험에) 합격[통과]하다
3 청소하다
4 공항
5 문을 닫다
6 가입하다
7 계속 있다, 머무르다
8 늦게까지 자지 않고 있다
9 거짓말하다
10 시청

Quiz 02

1 take a rest
2 farm
3 keep the rules
4 bring
5 roof
6 invite

7 windy
8 regularly
9 junk food
10 Chinese

04 진행 시제

Quiz 01

1 연
2 기차역
3 물을 주다
4 ~을 찾다
5 ~를 기다리다
6 재미있게 놀다
7 체육관
8 전화로
9 문구점
10 수다를 떨다

Quiz 02

1 pick
2 shoelace
3 poster
4 paint
5 cross
6 carpet
7 much
8 take a picture
9 cry
10 teach

05 조동사 (1)

Quiz 01

1 기타
2 탄산음료

3 연극부
4 플루트
5 지금은, 지금 당장
6 돌아오다
7 경주, 달리기 (시합)
8 스테이플러
9 문제
10 묻다, 물어보다

Quiz 02

1 table tennis
2 plant
3 go sledding
4 bake
5 remember
6 borrow
7 mall
8 bookcase
9 drive
10 turn off

06 조동사 (2)

Quiz 01

1 놀이터, 운동장
2 만지다, 건드리다
3 교복
4 졸린
5 서두르다
6 잘못된 전화번호
7 질문
8 사실인, 참인
9 빗다
10 ~을 남기다

Quiz 02

1 tell a lie

Answers

2 before dark
3 contest
4 talk to
5 stand in line
6 travel
7 seat belt
8 look
9 chew gum
10 stairs

07 조동사 (3)

Quiz 01

1 지하철
2 냄새가 나다
3 치과 의사
4 치통
5 (소리 등을) 낮추다
6 빌려 주다
7 도시락
8 잊다, 잊어버리다
9 버리다
10 수업 중에

Quiz 02

1 tease
2 lock
3 waste
4 shout
5 secret
6 bad cold
7 become
8 famous
9 give
10 send

08 여러 가지 문장

Quiz 01

1 산책하러 가다
2 똑똑한, 영리한
3 건강한
4 게으른
5 무서운, 겁나는
6 풀, 잔디
7 눈싸움
8 주의하여, 조심스럽게
9 걱정하다
10 놓치다

Quiz 02

1 get wet
2 exciting
3 turn into
4 trash
5 get angry
6 brave
7 lift
8 make a fire
9 difficult
10 take care of

Grammar, ZAP!

VOCABULARY

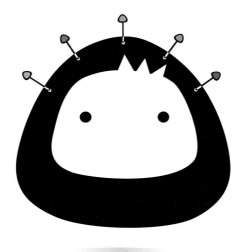

CHUNJAE EDUCATION, INC.

심화 **1**

④ Grammar Run/Jump/Fly

- 학습한 내용을 본격적으로 적용하고, 응용해 볼 수 있는 다양한 유형의 연습 문제입니다.
- 단계별 연습 문제를 통해 개념을 정확하게 이해하고, 간단한 문장을 완성할 수 있도록 구성하였습니다.

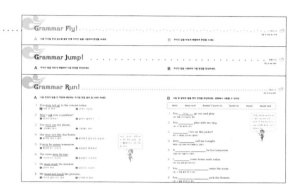

⑤ Grammar & Writing

- 창의 서술형 평가에 대비하기 위해 사진이나 그림 묘사하기, 표 해석하기, 정보 활용하기, 상황 묘사하기와 같은 문제를 수록하여 문법 개념을 이해하는데 그치지 않고 쓰기와 말하기에서도 활용할 수 있도록 하였습니다.

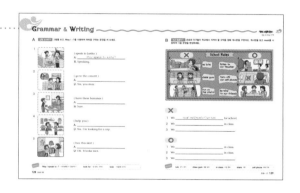

⑥ Unit Test

- Unit이 끝날 때마다 제시되는 마무리 테스트입니다. 객관식, 주관식 등의 문제를 풀면서 시험에 대비할 수 있도록 하였습니다.

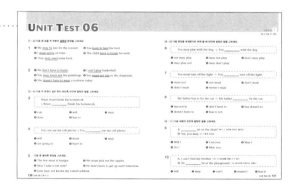

⑦ Wrap Up

- 해당 Unit을 마무리하며 요약하여 복습하고 빈칸을 채워 볼 수 있습니다.
- Check Up에서는 만화의 대화를 완성하며 마무리합니다.

활용방법

Book	Month	Week	Day	Unit	
1	1	1	1	1. 현재 시제	Unit Test 01
			2	2. 과거 시제	Unit Test 02
				Review Test 01	
		2	1	3. 미래 시제	Unit Test 03
			2	4. 진행 시제	Unit Test 04
				Review Test 02	
		3	1	5. 조동사 (1)	Unit Test 05
			2	6. 조동사 (2)	Unit Test 06
				Review Test 03	
		4	1	7. 조동사 (3)	Unit Test 07
			2	8. 여러 가지 문장	Unit Test 08
				Review Test 04	
				Final Test 01 ~ 02	
2	2	1	1	1. 셀 수 있는 명사와 셀 수 없는 명사	Unit Test 01
			2	2. 형용사와 부사	Unit Test 02
				Review Test 01	
		2	1	3. 비교 (1)	Unit Test 03
			2	4. 비교 (2)	Unit Test 04
				Review Test 02	
		3	1	5. to부정사 (1)	Unit Test 05
			2	6. to부정사 (2)	Unit Test 06
				Review Test 03	
		4	1	7. 동명사	Unit Test 07
			2	8. 동명사와 to부정사	Unit Test 08
				Review Test 04	
				Final Test 01 ~ 02	

Grammar, Zap!

심화 단계는 총 4권 구성으로 권당 4주, 총 4개월(권당 1개월)에 걸쳐 학습할 수 있도록 구성하였습니다. 하루 50분씩, 주 2일 학습 기준입니다.

Book	Month	Week	Day	Unit	
3	3	1	1	1. 의문사 있는 의문문 (1)	Unit Test 01
			2	2. 의문사 있는 의문문 (2)	Unit Test 02
				Review Test 01	
		2	1	3. 현재 완료 시제 (1)	Unit Test 03
			2	4. 현재 완료 시제 (2)	Unit Test 04
				Review Test 02	
		3	1	5. 현재 완료 시제 (3)	Unit Test 05
			2	6. 전치사	Unit Test 06
				Review Test 03	
		4	1	7. 재귀 대명사	Unit Test 07
			2	8. 부정 대명사	Unit Test 08
				Review Test 04	
				Final Test 01 ~ 02	
4	4	1	1	1. 여러 가지 동사 (1)	Unit Test 01
			2	2. 여러 가지 동사 (2)	Unit Test 02
				Review Test 01	
		2	1	3. 여러 가지 동사 (3)	Unit Test 03
			2	4. 여러 가지 동사 (4)	Unit Test 04
				Review Test 02	
		3	1	5. 수동태 (1)	Unit Test 05
			2	6. 수동태 (2)	Unit Test 06
				Review Test 03	
		4	1	7. 접속사 (1)	Unit Test 07
			2	8. 접속사 (2)	Unit Test 08
				Review Test 04	
				Final Test 01 ~ 02	

Contents

UNIT 01 현재 시제

내 이름은 강산이.
나에 대해 궁금해할 친구들을 위해
내 소개를 해 보려고 한다.
이럴 때 필요한 게 바로 현재 시제!

나는 강산

I **am** in the sixth grade.

나는 초등학교 6학년이고
토마토를 좋아한다.

초등6학년

I **like** tomatoes.

현재 시제는 be동사나 일반동사의 현재형을 사용해서
현재 내 상태 등을 나타내 준다.

I **feed** my pet every day.

나는 우리 미미에게 매일 음식을 준다.
이렇게 현재의 습관이나 반복해서
하는 일도 현재형을 써서 나타낸다.

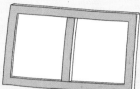

아빠께서 부르신다.
아! 오늘이 토요일이구나.

Today **is** Saturday.

자, 현재를 즐기러 나가 볼까?
왠지 현재 시제가 더 좋아졌다.

01 현재 시제

현재 시제는 현재의 상태나 습관, 현재 반복적으로 하는 일 등을 나타냅니다.

Ⓐ be동사의 현재형 am, are, is

be동사의 현재형은 주어가 I일 때는 am, 2인칭 또는 복수일 때는 are, 3인칭 단수일 때는 is를 쓰며 '~이다[하다]', '~에 있다'라는 뜻입니다.

I **am** a new student. 나는 새로 온 학생이다.

The girl **is** my classmate. 그 여자아이는 우리 반 친구이다.

She **is** very smart. 그녀는 매우 똑똑하다.

We **are** in the classroom. 우리는 교실에 있다.

Ⓑ 일반동사의 현재형

일반동사의 현재형은 주어가 1, 2인칭이거나 복수일 때는 동사원형을 쓰고,
3인칭 단수일 때는 동사원형에 -s 또는 -es를 붙여서 씁니다.

I **feed** my bird every day. 나는 매일 내 새에게 먹이를 준다.

My brother **likes** soccer. 내 남동생은 축구를 좋아한다.

He **plays** soccer after school. 그는 방과 후에 축구를 한다.

◉ 3인칭 단수 현재형 만들기(규칙)

대부분의 동사	-s, -sh, -ch, -x, -o로 끝나는 동사
동사원형+s	동사원형+es
「자음+y」로 끝나는 동사	불규칙 동사
-y를 -i로 바꾸고 -es 붙임	have 가지다 → has 등

Grammar Walk

정답 및 해설 2쪽

A 다음 문장의 괄호 안에서 알맞은 말을 골라 동그라미 하세요.

1 I ((am) / is) thirsty.

2 He (am / is) a police officer.

3 She (am / is) tired.

4 They (is / are) my classmates.

5 My parents (is / are) in the living room.

6 This bird (is / are) very cute.

7 We (is / are) at home today.

8 I (like / likes) bananas.

9 Hana (help / helps) her mother every day.

10 I (feed / feeds) my cat in the evening.

11 She (brush / brushes) her teeth after dinner.

12 He (fly / flies) a model airplane on Sunday.

13 My brother (exercise / exercises) every morning.

14 We (have / has) a big tent.

15 Tony (have / has) a nice skateboard.

be동사의 현재형은 주어가 I일 때는 am, 주어가 he/she/it일 때는 is를 써. 주어가 we/you/they이면 are를 쓰고.

일반동사의 현재형은 주어가 I/we/you/they일 때는 동사원형을 써. he/she/it일 때는 대부분 동사원형에 -(e)s를 붙이고. 단, study → studies, have → has처럼 다른 방식으로 변하는 동사도 있다는 걸 기억해.

WORDS · **thirsty** 목이 마른 · **brush** 솔질[빗질/칫솔질]하다 · **fly** 날다, 날리다 · **exercise** 운동하다 · **skateboard** 스케이트보드

02 현재 시제의 부정문과 의문문

be동사의 부정문과 의문문은 be동사를 사용해 만들고, 일반동사의 부정문과 의문문은 do 또는 does를
사용해 만듭니다.

A 현재 시제의 부정문

be동사가 있을 때는 am, are, is 뒤에 not을 붙여서 am not, aren't, isn't를 씁니다.
일반동사는 「don't+동사원형」으로 쓰며, 주어가 3인칭 단수일 때는 don't 대신 doesn't를 씁니다.

I **am not** hungry now. 나는 지금 배고프지 않다.

He **isn't**(=is not) a police officer. 그는 경찰관이 아니다.

I **don't**(=do not) like action movies. 나는 액션 영화를 좋아하지 않는다.

She **doesn't**(=does not) drink grape juice. 그녀는 포도 주스를 마시지 않는다.

B 현재 시제의 의문문

be동사가 있을 때는 am, are, is를 주어 앞으로 보내어 「Am/Are/Is+주어 ~?」로 씁니다.
일반동사는 주어에 따라 「Do/Does+주어+동사원형 ~?」으로 씁니다.

Are you at home now?
너는 지금 집에 있니?

Yes, I **am**. / **No**, I'm **not**.
응, 그래.　　아니, 그러지 않아.

Is he a scientist?
그는 과학자니?

Yes, he **is**. / **No**, he **isn't**.
응, 그래.　　아니, 그렇지 않아.

Do you have a dog?
너는 개를 가지고 있니?

Yes, I **do**. / **No**, I **don't**.
응, 그래.　　아니, 그러지 않아.

Does she go to school by bus?
그녀는 버스를 타고 학교에 가니?

Yes, she **does**. / **No**, she **doesn't**.
응, 그래.　　아니, 그러지 않아.

Grammar Walk

정답 및 해설 2쪽

A 다음 문장의 빈칸에 알맞은 말을 골라 동그라미 하세요.

1 You _____ a bad student.   ❶ isn't   ②aren't

2 I _____ sick now.   ❶ am not   ❷ don't

3 She _____ in the library.   ❶ isn't   ❷ aren't

4 They _____ like action movies.   ❶ don't   ❷ doesn't

5 My sister _____ eat pineapple.   ❶ don't   ❷ doesn't

6 _____ you in the bathroom?   ❶ Are   ❷ Is

7 _____ your brother busy now?   ❶ Are   ❷ Is

8 _____ you walk to school every day?   ❶ Do   ❷ Does

9 _____ he watch TV after dinner?   ❶ Do   ❷ Does

> 현재 시제의 부정문과 의문문을 만들 때 be동사는 be동사를 사용하고, 일반동사는 do나 does를 사용해.

B 다음 의문문에 알맞은 대답을 찾아 선으로 연결하세요.

1 Are you tired?   a. Yes, she is.

2 Is she a good swimmer?   b. No, he doesn't.

3 Do they take a walk every morning?   c. No, I'm not.

4 Does he have brown hair?   d. Yes, they do.

 WORDS · **action movie** 액션 영화   · **pineapple** 파인애플   · **swimmer** 수영을 할 줄 아는 사람   · **take a walk** 산책하다

Grammar Run! ....

A   주어진 말을 사용하여 다음 문장을 완성하세요.

1   Kate and I _____are_____ at the fire station. (be)

2   She _____ my classmate. (be)

3   I _____ busy today. (be)

4   My father _____ strong. (be)

5   There _____ two squirrels in the tree. (be)

6   My grandmother _____ up early in the morning. (get)

7   I _____ comedies. (like)

8   Bora _____ new sneakers. (have)

9   Namsu _____ English every day. (study)

10   They _____ badminton on weekends. (play)

11   We _____ lunch at 12 o'clock. (have)

12   She _____ in the evening. (exercise)

13   The model airplane _____ very fast in the sky. (fly)

14   He _____ his dog in the afternoon. (feed)

15   My sister _____ her homework after school. (do)

> 「There is/are ~.」 문장에서는 be동사 뒤에 나오는 명사가 주어야. 그래서 is를 쓸 것인지 are을 쓸 것인지는 뒤에 나오는 명사에 따라 정해져.

B 다음 문장 또는 대화의 빈칸에 알맞은 말을 쓰세요.

1 I'm ___not___ sick, but I'm tired.
나는 아프지 않지만, 피곤하다.

2 It's raining today, but it _____ cold.
오늘은 비가 오지만, 춥지는 않다.

3 They like soccer, but they _____ like baseball.
그들은 축구는 좋아하지만, 야구는 좋아하지 않는다.

현재 시제 문장에서 be동사가 있으면 be동사 뒤에 not을 써서 부정문으로 만들지. 의문문은 be동사를 주어 앞으로 보내서 만들고.

4 He _____ sad now. He is very happy.
그는 지금 슬프지 않다. 그는 매우 행복하다.

5 My father drinks coffee, but he _____ drink milk.
우리 아버지는 커피는 드시지만 우유는 드시지 않는다.

6 We have two dogs, but we _____ have a cat.
우리는 개를 두 마리 가지고 있지만, 고양이는 가지고 있지 않다.

7 Her grandmother eats yogurt, but she _____ eat ice cream.
그녀의 할머니는 요구르트는 드시지만, 아이스크림은 드시지 않는다.

일반동사는 주어에 따라 don't나 doesn't를 동사 앞에 써서 부정형을 만들어. 의문문에서는 do나 does를 주어 앞에 쓰고, 이때 둘 다 일반동사를 동사원형으로 써야 한다는 것에 주의해!

8 _____ you thirsty? / No, I'm not.
너는 목이 마르니?   아니, 그렇지 않아.

9 _____ your sister in the second grade? / Yes, she is.
네 여동생은 2학년이니?   응, 그래.

10 Are these your gloves? / No, they _____.
이것은 네 장갑이니?   아니, 그렇지 않아.

11 Is he from Canada? / No, he _____.
그는 캐나다 출신이니?   아니, 그렇지 않아.

12 _____ she walk to school every day? / Yes, she does.
그녀는 매일 학교에 걸어서 가니?   응, 그래.

13 _____ your parents take a walk every morning? / No, they don't.
네 부모님은 매일 아침 산책을 하시니?   아니, 그러지 않으셔.

14 Do you need an alarm clock? / Yes, I _____.
너는 자명종이 필요하니?   응, 그래.

15 Does your uncle live in Seoul? / No, he _____.
네 삼촌은 서울에 사시니?   아니, 그러지 않으셔.

WORDS
· **yogurt** 요구르트   · **grade** 학년   · **take a walk** 산책하다   · **need** 필요로 하다   · **alarm clock** 자명종

Grammar Jump!

A 다음 밑줄 친 말을 주어진 말로 바꿔 문장을 다시 쓸 때 빈칸에 알맞은 말을 쓰세요.

1 I am a police officer. (she)
➡ ___She___ ___is___ a police officer.

2 He is hungry now. (I)
➡ _____ _____ hungry now.

3 This is my pen. (these)
➡ _____ _____ my pens.

바꿔 쓸 말이 단수인지 복수인지, 3인칭인지 아닌지 잘 살펴봐야 해.

4 That book isn't interesting. (those books)
➡ _____ _____ interesting.

5 They aren't delicious apples. (it)
➡ _____ _____ a delicious apple.

6 He isn't sad today. (Kevin and I)
➡ _____ _____ _____ _____ sad today.

사람이나 사물이 and로 연결되어 있으면 둘 이상을 나타내므로 복수야.

7 I like horror movies. (he)
➡ _____ _____ horror movies.

8 Rabbits have long ears. (a rabbit)
➡ _____ _____ _____ long ears.

9 The boy wants ice cream for dessert. (we)
➡ _____ _____ ice cream for dessert.

10 They don't watch TV at night. (he)
➡ _____ _____ watch TV at night.

11 Ann doesn't take piano lessons. (we)
➡ _____ _____ take piano lessons.

12 Mike doesn't go to the library on Sunday. (they)
➡ _____ _____ go to the library on Sunday.

WORDS · horror movie 공포 영화 · dessert 디저트, 후식 · take piano lessons 피아노 교습을 받다

16 Unit 01

B 다음 대화의 빈칸에 알맞은 말을 쓰세요.

1 **A:** Is your dog fast?
B: Yes, _____it_____ _____is_____ .

2 **A:** Are they from the U.S.?
B: No, _____ _____ . They are from Canada.

3 **A:** _____ there a book in the bag?
B: No, there _____ .

4 **A:** _____ you in the sixth grade?
B: Yes, I _____ .

5 **A:** Do you have a bike?
B: No, _____ .

6 **A:** Does Jason usually go to bed at 10?
B: Yes, _____ _____ .

7 **A:** Do you need a new printer?
B: No, _____ _____ .

8 **A:** Do they jump rope every morning?
B: Yes, _____ _____ .

9 **A:** _____ Mary often visit her grandparents?
B: Yes, she _____ .

10 **A:** _____ your parents like flowers?
B: Yes, they _____ .

11 **A:** _____ they play computer games every day?
B: No, they _____ .

12 **A:** _____ the girl have long hair?
B: No, she _____ . She has short hair.

「be동사+there+주어 ~?」는 '~가 …에 있니?'라는 뜻이야. 이때 be동사는 there 뒤의 주어에 따라 달라지지. '응, 그래.'라고 대답할 때는 「Yes, there+be동사」로 하고, '아니, 그러지 않아.'라고 대답할 때는 「No, there+be동사+not.」으로 해.

WORDS ・**be from** ~ 출신이다 ・**usually** 보통, 대개 ・**printer** 프린터 ・**jump rope** 줄넘기를 하다 ・**visit** 방문하다

Grammar Fly! · · · · · · · · · · · · · · · · · ·

A 다음 문장을 괄호 안의 지시대로 바꿔 쓰세요.

1 This is a new computer. (부정문)

➡ This isn't[is not] a new computer.

2 We are in the yard. (부정문)

➡

3 I am in the fifth grade. (부정문)

➡

4 My father works in a bank. (부정문)

➡

5 Nina and her brother drink milk. (부정문)

➡

6 Paul's family goes to the park on Sundays. (부정문)

➡

7 Your uncle is strong. (의문문)

➡

8 There are a lot of ducks in the pond. (의문문)

➡

9 They live near the river. (의문문)

➡

10 She walks her dog in the afternoon. (의문문)

➡

11 You play the piano after school. (의문문)

➡

12 Jake has new in-line skates. (의문문)

➡

WORDS · **yard** 마당 · **work** 일하다 · **duck** 오리 · **pond** 연못 · **walk** 산책시키다

B 주어진 말을 바르게 배열하여 문장을 쓰세요.

1 (I / a good swimmer / am / .) 나는 수영을 잘한다.
➡ I am a good swimmer.

2 (this cake / very delicious / is / .) 이 케이크는 무척 맛있다.
➡ _____

3 (we / every morning / jump rope / .) 우리는 아침마다 줄넘기를 한다.
➡ _____

4 (he / his parents / helps / on weekends / .) 그는 주말마다 자기 부모님을 돕는다.
➡ _____

5 (my mother / at home now / isn't / .) 우리 어머니는 지금 집에 계시지 않는다.
➡ _____

6 (like / don't / my grandparents / cats / .) 우리 조부모님은 고양이를 좋아하시지 않는다.
➡ _____

7 (in the library / they / aren't / .) 그들은 도서관에 있지 않다.
➡ _____

8 (have a skateboard / Bill / doesn't / .) 빌은 스케이트보드를 가지고 있지 않다.
➡ _____

9 (is / in the afternoon / he / busy / ?) 그는 오후에 바쁘니?
➡ _____

10 (there / are / in the box / many apples / ?) 상자 안에 사과가 많이 있니?
➡ _____

11 (does / every day / read a book / she / ?) 그녀는 매일 책을 읽니?
➡ _____

12 (you / do / coffee / drink / ?) 너는 커피를 마시니?
➡ _____

WORDS · **delicious** 아주 맛있는　　· **at home** 집에(서)　　· **library** 도서관　　· **afternoon** 오후

Grammar & Writing

A 그림 묘사하기 다음은 지민이의 일과를 나타낸 그림입니다. 그림을 보고, 아래 문장의 빈칸에 알맞은 말을 쓰세요.

1 Jimin _____gets up_____ at 6:30 in the morning.

2 She _____ at 7:30.

3 She _____ at 8 o'clock.

4 She _____ at 4:30 in the afternoon.

5 She _____ at 8 o'clock in the evening.

6 She _____ at 10 o'clock.

B 표 해석하기 준호는 여름 방학 동안 국제 캠프에 참가했습니다. 은지가 캠프에서 돌아온 준호의 수첩을 보며 세계 여러 나라의 친구들에 대해 묻고 있습니다. 표를 보고, 두 사람의 대화를 완성하세요.

이름	출신 나라	사는 곳	나이	애완동물
Bingbing	China	Beijing	12	X
Paul	the U.S.	New York	13	dog
Susan	the U.K.	London	12	X
David	Canada	Vancouver	14	hamster

1 *Eunji*: ____Is____ Bingbing from China?
Junho: Yes, she ____is____ .

2 *Eunji*: _____ Paul live in New York?
Junho: _____ , _____ _____ .

3 *Eunji*: _____ Susan from the U.S.?
Junho: _____ , _____ . She's from the U.K.

4 *Eunji*: _____ Susan have a pet?
Junho: _____ , _____ _____ .

5 *Eunji*: _____ David 13 years old?
Junho: _____ , _____ . He's 14 years old.

WORDS · **China** 중국   · **the U.S.** 미국   · **the U.K.** 영국   · **Canada** 캐나다   · **pet** 애완동물

UNIT TEST 01

[1-2] 다음 중 동사의 3인칭 단수 현재형이 <u>잘못</u> 짝지어진 것을 고르세요.

1 ❶ like – likes ❷ brush – brushes ❸ fly – flys

   ❹ have – has ❺ go – goes

2 ❶ watch – watchs ❷ play – plays ❸ live – lives

   ❹ help – helps ❺ do – does

[3-5] 다음 문장의 빈칸에 알맞은 말을 고르세요.

3

> My parents _____ in the living room now.

   ❶ is ❷ am ❸ are

   ❹ were ❺ was

4

> I _____ my dog every day.

   ❶ feed ❷ feeds ❸ feeding

   ❹ don't feeds ❺ doesn't feed

5

> Bomi _____ English after school.

   ❶ study ❷ studys ❸ studies

   ❹ studying ❺ don't study

[6-7] 다음 문장을 부정문으로 바꿔 쓸 때 빈칸에 알맞은 말을 고르세요.

6

A soccer game is very interesting.
➡ A soccer game _____ very interesting.

❶ aren't ❷ isn't ❸ wasn't
❹ don't ❺ doesn't

7

We go to school by bus.
➡ We _____ go to school by bus.

❶ aren't ❷ isn't ❸ wasn't
❹ don't ❺ doesn't

[8-9] 다음 의문문에 대한 대답으로 알맞은 말을 고르세요.

8

Jane, are you busy now?

❶ Yes, we are. ❷ No, I am. ❸ Yes, I do.
❹ No, I'm not. ❺ No, we don't.

9

Does he play badminton on weekends?

❶ Yes, he is. ❷ No, he isn't. ❸ Yes, he does.
❹ No, he didn't. ❺ Yes, he did.

[10-11] 다음 중 밑줄 친 말이 잘못된 문장을 고르세요.

10　❶ I'm <u>not</u> tired.

　❷ There <u>is</u> a bird in the tree.

　❸ Nancy and I <u>are</u> in the park.

　❹ <u>Is</u> your parents at home now?

　❺ <u>Are</u> those your gloves?

11　❶ He <u>likes</u> baseball.

　❷ <u>Do</u> you take piano lessons?

　❸ We <u>doesn't</u> have a tent.

　❹ They <u>don't</u> want any sandwiches.

　❺ <u>Does</u> your sister have long hair?

12　다음 중 짝지어진 대화가 어색한 것을 고르세요.

　❶ **A:** Are you in the sixth grade?　　　　**B:** Yes, I am.

　❷ **A:** Do you want a new bike?　　　　　**B:** No, I don't.

　❸ **A:** Is there a bank near here?　　　　　**B:** Yes, there is.

　❹ **A:** Does Nicole jump rope every morning?　**B:** Yes, she do.

　❺ **A:** Are they good students?　　　　　　**B:** No, they aren't.

[13-14] 다음 문장의 빈칸에 들어갈 말이 순서대로 바르게 짝지어진 것을 고르세요.

13

　　• She _____ a new student here.
　　• _____ you watch TV at night?

　❶ is – Are　　　　　❷ are – Do　　　　　❸ is – Does

　❹ does – Is　　　　　❺ is – Do

14

> • Suho _____ milk every day.
> • He doesn't _____ juice.

❶ drink – drinks   ❷ drinks – drink   ❸ drink – drinking

❹ drinks – drank   ❺ drank – drinks

[15 – 16] 다음 문장의 밑줄 친 부분을 바르게 고쳐 쓴 것을 고르세요.

15

> My mother <u>don't eats</u> ice cream.

❶ isn't eat   ❷ don't eat   ❸ aren't eat

❹ doesn't eat   ❺ doesn't eats

16

> We <u>doesn't play</u> the piano at night.

❶ aren't play   ❷ don't plays   ❸ isn't play

❹ doesn't plays   ❺ don't play

17 다음 중 올바른 문장을 고르세요.

❶ These is my books.

❷ They take a walk in the evening.

❸ There are a duck in the pond.

❹ He don't get up early in the morning.

❺ She need a new printer.

[18-20] 다음 대화의 빈칸에 알맞은 말을 쓰세요.

18

A: Do you have a cat?　　　B: No, _____ _____.

19

A: Does your sister like action movies?
B: Yes, _____ _____.

20

A: _____ they police officers?　　B: _____, they aren't.

[21-25] 다음 우리말 뜻과 같도록 주어진 말을 사용하여 문장을 완성하세요.

21 그 남자아이는 저녁 식사 후에 이를 닦는다. (brush)

➡ The boy _____ his teeth after dinner.

22 우리 부모님은 아침에 운동을 하시지 않는다. (exercise)

➡ My parents _____ _____ in the morning.

23 브라이언은 캐나다 출신이 아니다. (be from)

➡ Brian _____ _____ Canada.

24 이 피자는 맛있니? (delicious)

➡ _____ this pizza _____?

25 너는 새 가방을 원하니? (want)

➡ _____ _____ _____ a new bag?

1 be동사의 현재형

❶ be동사의 현재형에는 ¹[____], ²[____], ³[____]가 있다.

❷ be동사 현재형의 부정형은 am not, aren't, ⁴[____]로 쓰고,
의문문은 「⁵[____] / ⁶[____] / ⁷[____]+주어 ~?」로 쓴다.

2 일반동사의 현재형

❶ 일반동사의 현재형은 주어가 3인칭 단수일 때 대개 동사원형에 ¹[____] 또는 ²[____]를
붙인다.

❷ 일반동사 현재형의 부정문은 「주어+³[____] / ⁴[____]+동사원형 ~.」으로 쓰고,
의문문은 주어에 따라 「⁵[____] / ⁶[____]+주어+동사원형 ~?」으로 쓴다.

Check Up 그림을 보고, 알맞은 말을 찾아 다음 대화의 빈칸에 쓰세요.

do   doesn't   is   play

과거 시제

저는 오늘 과거의 제 모습을 소개하려고 해요.

지금의 나는 과거의 시간을 지나온 것이랍니다.

과거 시제란 과거에 있었던 일을 나타내 줄 수 있는 말이에요.

I was a little boy.

저는 어린아이였어요.

이처럼 '~이었다', '~하였다'라고 과거의 상태를 말할 때는 be동사의 과거형을 써서 과거 시제로 말해요.

I wasn't tall.

저는 키도 크지 않았지요.

과거의 동작을 이야기할 때는
일반동사의 과거형을 써서 말하지요.

I **played** with robots.

저는 로봇 장난감을 가지고 놀았어요.

이번에는 민지 차례예요.
민지는 어렸을 때 춤을 잘 못 추었다고 하네요.

I **didn't dance** well.

과거 시제를 통해 서로의 옛날 모습을
알게 되니 모두가 더 친한 사이가 된
것 같아요.

01 과거 시제

과거 시제는 과거에 일어난 일이나 동작, 상태 등을 나타냅니다.
주로 yesterday(어제), then(그때), last ~(지난 ~), ~ ago(~ 전에)처럼 과거를 나타내는 말들과 함께 씁니다.

A be동사의 과거형 was, were

주어가 대명사 I 또는 3인칭 단수일 때는 was를 쓰고, 주어가 you 또는 복수일 때는 were를 씁니다.

I **was** at the stadium yesterday. 나는 어제 경기장에 있었다.

The baseball game **was** interesting. 그 야구 경기는 재미있었다.

We **were** at the zoo last Sunday. 우리는 지난 일요일에 동물원에 있었다.

The elephants **were** very big. 그 코끼리들은 아주 컸다.

B 일반동사의 과거형

일반동사는 대개 동사원형에 -ed 또는 -d를 붙여 과거형을 만듭니다.
하지만 모양이 완전히 바뀌는 동사들도 있습니다.

I **walked** to the library today. 나는 오늘 걸어서 도서관에 갔다. 〈walk → walked〉

She **studied** math last night. 그녀는 어젯밤에 수학을 공부했다. 〈study → studied〉

We **saw** birds in the sky. 우리는 하늘에 있는 새들을 보았다. 〈see → saw〉 ※불규칙 동사의 과거형: 192쪽 참고

일반동사 과거형 만들기 (규칙)

대부분의 일반동사	-e로 끝나는 일반동사
동사원형+ed	동사원형+d
「자음+y」로 끝나는 일반동사	「단모음+단자음」으로 끝나는 일반동사
-y를 -i로 바꾸고 -ed	마지막 자음을 한 번 더 쓰고 -ed

We **were** at the zoo yesterday.

I **saw** a bad monkey there.

Ouch!

Grammar Walk

정답 및 해설 6쪽

A 다음 동사의 과거형을 빈칸에 쓰세요.

1 am, is ➡ _____was_____

2 are ➡ _____

3 look ➡ _____

4 like ➡ _____

5 have ➡ _____

6 play ➡ _____

7 make ➡ _____

8 study ➡ _____

9 cook ➡ _____

10 shop ➡ _____

11 go ➡ _____

12 clean ➡ _____

13 help ➡ _____

14 move ➡ _____

15 live ➡ _____

16 arrive ➡ _____

17 fly ➡ _____

18 open ➡ _____

19 wear ➡ _____

20 cut ➡ _____

21 see ➡ _____

22 work ➡ _____

23 feed ➡ _____

24 dry ➡ _____

25 drink ➡ _____

26 call ➡ _____

27 clap ➡ _____

28 catch ➡ _____

29 send ➡ _____

30 read ➡ _____

WORDS · **fly** 날다, 날리다   · **cut** 자르다   · **dry** 말리다, 마르다   · **drink** 마시다   · **clap** 박수를 치다

02 과거 시제의 부정문과 의문문

과거 시제의 부정문과 의문문은 be동사가 있는 문장은 be동사의 과거형을 사용해서 만들고,
일반동사가 있는 문장은 do의 과거형인 did를 사용해서 만듭니다.

A 과거 시제의 부정문

be동사 과거형의 부정문은 「주어+was[were]+not ~.」으로 쓰고, 일반동사 과거형의 부정문은 주어와 상관없이
「주어+didn't+동사원형 ~.」으로 씁니다.

He **wasn't**(=was not) a good cook. 그는 요리를 잘하지 못했다.

The sandwiches **weren't**(=were not) delicious. 그 샌드위치들은 맛이 없었다.

I **didn't**(=did not) **go** to the museum yesterday. 나는 어제 박물관에 가지 않았다.

The museum **didn't**(=did not) **open** then. 박물관은 그때 문을 열지 않았다.

B 과거 시제의 의문문

be동사 과거형의 의문문은 「Was[Were]+주어 ~?」로 쓰고, 일반동사 과거형의 의문문은
주어와 상관없이 「Did+주어+동사원형 ~?」으로 씁니다.

Was your mother a nurse?
네 어머니는 간호사셨니?

Yes, she **was**. / **No**, she **wasn't**.
응, 그러셨어.　　아니, 아니셨어.

Were they late for school?
그들은 학교에 지각했니?

Yes, they **were**. / **No**, they **weren't**.
응, 그랬어.　　아니, 그렇지 않았어.

Did you have a cold then?
넌 그때 감기에 걸렸었니?

Yes, I **did**. / **No**, I **didn't**.
응, 그랬어.　　아니, 그러지 않았어.

Did the boys make a snowman?
그 남자아이들은 눈사람을 만들었니?

Yes, they **did**. / **No**, they **didn't**.
응, 그랬어.　　아니, 그러지 않았어.

Grammar Walk

정답 및 해설 6~7쪽

A 다음 문장의 괄호 안에서 알맞은 말을 골라 동그라미 하세요.

1 She (wasn't / weren't) my best friend last year.

be동사가 있으면 be동사 뒤에 not을 써서 부정문을 만들고, be동사를 주어 앞으로 보내어 의문문을 만들어.

2 We (wasn't / weren't) happy then.

3 I (wasn't / weren't) late for the concert.

4 They (doesn't / didn't) watch TV last night.

5 Sam didn't (make / made) a model airplane.

6 (Was / Were) you at the swimming pool yesterday?

did를 사용하는 부정문이나 의문문에서 일반동사는 동사원형을 쓴다는 것에 주의해.

7 (Was / Were) she busy this morning?

8 (Do / Did) they move to Busan last month?

9 Did Kate (have / has) lunch with you today?

B 다음 의문문에 알맞은 대답을 찾아 선으로 연결하세요.

1 Was he sick then?   **a.** Yes, they were.

2 Did you brush your teeth?   **b.** No, he wasn't.

3 Were they farmers?   **c.** No, he didn't.

4 Did Jordan call you last night?   **d.** Yes, I did.

WORDS   · then 그때   · concert 연주회, 콘서트   · model airplane 모형 비행기   · move 옮기다, 이사하다

Grammar Run! . . . .

A 주어진 말을 사용하여 과거 시제의 문장을 완성하세요.

1 I _____was_____ busy all day last Sunday. (be)

2 Sally and Harry _____ at the bookstore then. (be)

3 It _____ sunny yesterday. (be)

4 My mother _____ a sandwich for me. (make)

5 He _____ his grandmother this afternoon. (call)

6 We _____ to the zoo last Saturday. (go)

7 I _____ the heavy boxes yesterday. (carry)

8 The baby _____ some milk. (drink)

9 John and I _____ books yesterday. (read)

10 My family _____ near the river then. (live)

11 They _____ at the stars in the sky. (look)

12 The train _____ at 11 o'clock. (arrive)

13 He _____ some birthday presents from his friends. (get)

14 His sister _____ a cold last week. (have)

15 My father _____ a big fish at the lake. (catch)

> 불규칙 동사의 과거형에 주의해.
> make - made, go - went, drink
> - drank, read - read, get - got,
> have - had, catch - caught!

B 다음 중 알맞은 말을 찾아 문장을 완성하세요.

was	were	did	visited	sent	studied
had	played	found	fed	wore	cooked

1 It ____was____ cloudy yesterday, but it is sunny today.
어제는 날씨가 흐렸지만, 오늘은 화창하다.

2 Mr. Brown _____ spaghetti for dinner.
브라운 씨는 저녁 식사로 스파게티를 요리했다.

3 My family _____ my grandparents last weekend.
우리 가족은 지난 주말에 조부모님을 찾아뵈었다.

4 There _____ seven pigs on the farm.
농장에는 돼지 일곱 마리가 있었다.

5 I _____ the cute rabbits.
나는 그 귀여운 토끼들에게 먹이를 주었다.

6 We _____ the key under the bed.
우리는 침대 밑에서 열쇠를 찾았다.

7 They _____ lunch outside.
그들은 밖에서 점심 식사를 했다.

8 I _____ her e-mail an hour ago.
나는 한 시간 전에 그녀에게 이메일을 보냈다.

9 My sister and I _____ chess.
우리 누나와 나는 체스를 두었다.

10 She _____ a beautiful dress to the party.
그녀는 파티에서 아름다운 드레스를 입고 있었다.

11 Paul _____ his homework at night.
폴은 밤에 숙제를 했다.

12 Minho _____ math in the evening.
민호는 저녁에 수학을 공부했다.

> feed - fed, find - found, have - had, send - sent, wear - wore, do - did 등은 과거형이 불규칙하게 변하는 동사야. 그때그때 외워 두자.

WORDS · **find** 찾다, 발견하다 · **outside** 밖[야외]에서 · **send** 보내다 · **ago** (얼마의 시간) 전에 · **wear** 입고[쓰고/끼고/신고] 있다

Grammar Jump!

A 다음 문장을 괄호 안의 지시대로 바꿔 쓸 때 빈칸에 알맞은 말을 쓰세요.

1 He was a good student. (부정문)
⟹ He ___wasn't___ a good student.

2 The cookies were very delicious. (부정문)
⟹ The cookies _____ very delicious.

3 She was thirsty then. (부정문)
⟹ She _____ thirsty then.

> 과거 시제의 긍정문을 부정문으로 바꿔 쓸 땐 동사의 과거형 대신 「didn't + 동사원형」을 써. 동사의 원래 형태가 무엇인지 잘 생각해야 해.

4 My sister and I made paper airplanes. (부정문)
⟹ My sister and I _____ _____ paper airplanes.

5 They played with a beach ball. (부정문)
⟹ They _____ _____ with a beach ball.

6 Dana sent a text message to her friend. (부정문)
⟹ Dana _____ _____ a text message to her friend.

7 The family wasn't at the beach last weekend. (긍정문)
⟹ The family _____ at the beach last weekend.

8 They weren't late for school. (긍정문)
⟹ They _____ late for school.

9 We didn't go to the aquarium by bus. (긍정문)
⟹ We _____ to the aquarium by bus.

10 My mother didn't shop at the market. (긍정문)
⟹ My mother _____ at the market.

> 과거 시제의 부정문을 긍정문으로 바꿔 쓰면 didn't가 없어지면서 동사원형을 과거형으로 바꿔 써야 한다는 것에 주의해야 해!

11 I didn't swim in the sea. (긍정문)
⟹ I _____ in the sea.

12 Max didn't watch a baseball game. (긍정문)
⟹ Max _____ a baseball game.

WORDS · **text message** 문자 메시지 · **beach** 해변, 바닷가 · **aquarium** 수족관 · **shop** 사다, 쇼핑하다 · **market** 시장

B 다음 대화의 빈칸에 알맞은 말을 쓰세요.

1 **A:** __Were__ you late for school yesterday?
   B: Yes, I __was__ .

2 **A:** _____ she angry then?
   B: No, she _____ .

3 **A:** Were there many trees in the park?
   B: Yes, there _____ .

4 **A:** Was he at the swimming pool then?
   B: No, _____ _____ . He was at the theater then.

5 **A:** _____ the airplane arrive in the afternoon?
   B: Yes, it did.

6 **A:** _____ Namho play the piano after school?
   B: No, he _____ . He played the guitar after school.

7 **A:** _____ you fly model airplanes two days ago?
   B: Yes, we _____ .

8 **A:** _____ he go to the movies with Kate last Sunday?
   B: No, _____ _____ .

9 **A:** _____ Lisa get up early this morning?
   B: _____ , she _____ . She got up late this morning.

10 **A:** _____ they see a beautiful lake yesterday?
   B: Yes, _____ _____ .

11 **A:** _____ you clean the living room last night?
   B: No, _____ _____ .

12 **A:** _____ the girl want a blue jacket then?
   B: Yes, _____ _____ .

> 과거의 일에 대해 묻고 대답하는 대화들이야. 일반동사는 did를 사용해서, be동사는 was 또는 were를 사용해서 묻고 대답한다는 거 기억나지?

WORDS
· theater 극장   · arrive 도착하다   · go to the movies 영화 보러 가다   · lake 호수

Grammar Fly! ·

A 주어진 말을 사용하여 다음 문장을 과거 시제의 문장으로 바꿔 쓰세요.

1 There are a lot of people in the stadium. (then)
➡   There were a lot of people in the stadium then.

2 She is busy. (yesterday)
➡

3 They go to the gallery. (yesterday)
➡

4 He cleans his room. (this morning)
➡

5 They drink orange juice. (yesterday)
➡

6 It isn't cloudy. (five days ago)
➡

7 We don't make a snowman. (today)
➡

8 Is Tony's uncle a cook? (then)
➡

9 Are you and Mary at the zoo? (last Sunday)
➡

10 Does your mother come home early? (that evening)
➡

11 Do you play the guitar? (this afternoon)
➡

12 Does the stationery store open? (last weekend)
➡

WORDS · **stadium** 경기장 · **gallery** 미술관, 화랑 · **that evening** 그날 저녁 · **stationery store** 문구점

B 주어진 말을 바르게 배열하여 과거 시제의 문장을 쓰세요.

1 (the soccer game / very interesting / was / .) 그 축구 경기는 매우 재미있었다.
➡ _The soccer game was very interesting._

2 (they / kind police officers / were / .) 그들은 친절한 경찰관이었다.
➡ _____

3 (she / some presents / from her friends / got / .) 그녀는 자기 친구들에게서 선물 몇 개를 받았다.
➡ _____

4 (the boys / to the concert / went / .) 그 남자아이들은 콘서트에 갔다.
➡ _____

5 (my family / in the river / caught fish / .) 우리 가족은 강에서 물고기를 잡았다.
➡ _____

6 (model airplanes / flew / we / .) 우리는 모형 비행기를 날렸다.
➡ _____

7 (at his uncle's farm / he / wasn't / .) 그는 자기 삼촌의 농장에 있지 않았다.
➡ _____

8 (shop / we / at the market / didn't / .) 우리는 시장에서 물건을 사지 않았다.
➡ _____

9 (Mina / a party / didn't / have / .) 미나는 파티를 열지 않았다.
➡ _____

10 (they / strong firefighters / were / ?) 그들은 힘센 소방관들이었니?
➡ _____

11 (they / did / in the park / walk / ?) 그들은 공원에서 걸었니?
➡ _____

12 (did / to Nami / send a text message / he / ?) 그는 나미에게 문자 메시지를 보냈니?
➡ _____

WORDS · **present** 선물　· **river** 강　· **farm** 농장　· **have a party** 파티를 열다　· **firefighter** 소방관

Grammar & Writing

정보 활용하기 제니와 친구들이 주말에 한 일에 대해 묻고 대답하는 대화입니다. 사진을 보고, 주어진 말을 사용하여 대화를 완성하세요.

1

(go camping)

Q: _____Did_____ Jenny _____go_____ _____camping_____ last weekend?

A: Yes, she _____did_____ .

2

(go fishing)

Q: _____ Mike _____ _____ last weekend?

A: Yes, he _____ .

3

(go swimming)

Q: Did Kate go hiking last weekend?

A: No, she _____. She _____ _____ .

4

(ride a bike)

Q: _____ Kevin _____ _____ _____ last weekend?

A: Yes, _____ _____ .

5

(at the zoo)

Q: Was Nate _____ _____ _____ last weekend?

A: Yes, he _____ .

6

(at the museum)

Q: _____ Brian at the pool last weekend?

A: No, he _____ . He was _____ _____ _____ .

WORDS · **go fishing** 낚시하러 가다 · **go hiking** 하이킹하러 가다 · **zoo** 동물원 · **pool** 수영장 · **museum** 박물관

B 표 해석하기 다음은 나미와 나미 가족이 작년에 비해 올해 어떤 점이 달라졌는지 정리한 표입니다. 표를 보고, 다음 문장을 완성하세요.

	last year	this year
I	walk to school	go to school by bus
my brother	not wear a school uniform	wear a school uniform
my father	come home late	come home early
my mother	not exercise	do yoga

1 I ___walked to school___ last year.
  I ___go to school by bus___ this year.

2 My brother _____ last year.
  He _____ this year.

3 My father _____ last year.
  He _____ this year.

현재 일을 쓸 때, 주어가 3인칭 단수이면 일반동사 뒤에 -s, -es 붙이는 것 잊지 마!

4 My mother _____ last year.
  She _____ this year.

WORDS · **last year** 작년 · **this year** 올해 · **school uniform** 교복 · **late** 늦게 · **early** 일찍

UNIT TEST 02

[1-2] 다음 중 동사원형과 과거형이 <u>잘못</u> 짝지어진 것을 고르세요.

1 ❶ look – looked   ❷ shop – shoped   ❸ dry – dried
    ❹ clean – cleaned   ❺ move – moved

2 ❶ drink – drank   ❷ see – saw   ❸ go – went
    ❹ read – red   ❺ make – made

[3-5] 다음 문장의 빈칸에 알맞은 말을 고르세요.

3

> Mary _____ at the museum last Sunday.

❶ am   ❷ is   ❸ was
❹ were   ❺ are

4

> They _____ English yesterday.

❶ study   ❷ studies   ❸ studyed
❹ studied   ❺ studying

5

> I _____ her e-mail last night.

❶ send   ❷ sends   ❸ sended
❹ sending   ❺ sent

[6-7] 다음 문장을 부정문으로 바꿔 쓸 때 빈칸에 알맞은 말을 고르세요.

6

> The fish was big.
> ➡ The fish _____ big.

❶ isn't ❷ don't be ❸ weren't

❹ wasn't ❺ didn't be

7

> My sister helped me with my homework.
> ➡ My sister _____ me with my homework.

❶ didn't helped ❷ weren't help ❸ wasn't help

❹ didn't help ❺ don't help

[8-9] 다음 의문문에 대한 대답으로 알맞은 말을 고르세요.

8

> Were you and your sister at the theater?

❶ Yes, we did. ❷ No, we didn't. ❸ Yes, we were.

❹ No, I wasn't. ❺ Yes, we are.

9

> Did Tony call you this morning?

❶ Yes, he did. ❷ Yes, he was. ❸ Yes, he does.

❹ No, he doesn't. ❺ No, he wasn't.

[10-11] 다음 중 밑줄 친 부분이 <u>잘못된</u> 문장을 고르세요.

10 ❶ <u>Was</u> the book interesting?

❷ She <u>wasn't</u> a singer then.

❸ They <u>weren't</u> go to the concert yesterday.

❹ There <u>were</u> a lot of flowers in the park.

❺ <u>Were</u> they in the fifth grade then?

11 ❶ <u>Did</u> Jake study math with you yesterday?

❷ <u>Did</u> they live in Seoul two years ago?

❸ We <u>didn't got</u> up early this morning.

❹ He <u>didn't read</u> a book last night.

❺ My sister <u>fed</u> the cat last evening.

12 다음 중 짝지어진 대화가 <u>어색한</u> 것을 고르세요.

❶ **A:** Were there many fish in the pond?   **B:** Yes, there were.

❷ **A:** Was Jack late for the concert?   **B:** No, he isn't.

❸ **A:** Did she go to the movies?   **B:** Yes, she did.

❹ **A:** Did they visit their grandparents last Sunday?   **B:** Yes, they did.

❺ **A:** Was Julie your best friend then?   **B:** No, she wasn't.

[13-14] 다음 문장의 빈칸에 들어갈 말이 순서대로 바르게 짝지어진 것을 고르세요.

13

> • Namsu _____ sick yesterday.
> • _____ he sick now?

❶ is – Was   ❷ was – Was   ❸ was – Is

❹ were – Is   ❺ was – Did

14

- My dad _____ a big fish last Saturday.
- I didn't _____ any fish then.

❶ catch – catch   ❷ catched – catch   ❸ catched – catched

❹ caught – catch   ❺ caught – caught

15 다음 문장의 밑줄 친 부분을 바르게 고쳐 쓴 것을 고르세요.

They didn't made a model airplane this morning.

❶ doesn't made   ❷ weren't make   ❸ wasn't made

❹ don't made   ❺ didn't make

[16 – 17] 다음 문장을 의문문으로 바꿔 쓸 때 빈칸에 알맞은 말을 고르세요.

16

She was in the sixth grade last year.
➡ _____ in the sixth grade last year?

❶ Did she   ❷ Were she   ❸ Was she

❹ Is she   ❺ Did she was

17

Jake had a birthday party yesterday.
➡ _____ a birthday party yesterday?

❶ Did Jake had   ❷ Does Jake have   ❸ Was Jake had

❹ Did Jake have   ❺ Was Jake have

[18 – 19] 다음 대화의 빈칸에 알맞은 말을 쓰세요.

18

A: Was she at the library yesterday afternoon?
B: No, _____ _____.

19

A: _____ they take a walk then?

B: _____ , they did.

[20 - 23] 다음 우리말 뜻과 같도록 주어진 말을 사용하여 문장을 완성하세요.

20 나는 저녁 식사 후에 이를 닦았다. (brush)

➡ I _____ my teeth after dinner.

21 그는 후식으로 쿠키를 원했다. (want)

➡ He _____ some cookies for dessert.

22 그들은 방과 후에 축구를 하지 않았다. (play)

➡ They _____ _____ soccer after school.

23 그녀는 걸어서 서점에 갔니? (walk)

➡ _____ she _____ to the bookstore?

[24 - 25] 주어진 말을 바르게 배열하여 문장을 쓰세요.

24 (at the park / weren't / there / many people / .)

➡ _____

공원에 사람들이 많이 있지 않았다.

25 (you / in the sky / see the stars / did / ?)

➡ _____

너는 하늘에 뜬 별들을 보았니?

WRAP UP

1 **be동사의 과거형**

❶ am, is의 과거형은 ¹[　　　　]이며, are의 과거형은 ²[　　　　]이다.

❷ be동사 과거형의 부정문은 wasn't, ³[　　　　]를 쓰고, be동사 과거형의 의문문은
「⁴[　　　　]/⁵[　　　　]+주어 ~?」로 쓴다.

2 **일반동사의 과거형**

❶ 일반동사의 과거형은 대부분 동사원형에 ¹[　　　　]나 -d를 붙인다.
다만, 불규칙하게 변하는 불규칙 동사들도 있다.

❷ 일반동사 과거형의 부정문은 「²[　　　　]+동사원형」을 쓰고, 일반동사 과거형의 의문문은
「³[　　　　]+주어+동사원형 ~?」으로 쓴다.

Check Up　그림을 보고, 알맞은 말을 찾아 다음 대화의 빈칸에 쓰세요.

| did | yes | played | were |

REVIEW TEST 01

1 다음 중 동사의 3인칭 단수 현재형이 <u>잘못</u> 짝지어진 것을 고르세요.

❶ fly – flies   ❷ do – does   ❸ move – moves

❹ brush – brushs   ❺ clean – cleans

2 다음 중 동사의 과거형이 <u>잘못</u> 짝지어진 것을 고르세요.

❶ shop – shopped   ❷ call – called   ❸ do – did

❹ catch – caught   ❺ dry – dryed

[3-5] 다음 문장의 빈칸에 알맞은 말을 고르세요.

3

> I _____ tired now.

❶ is   ❷ are   ❸ am

❹ was   ❺ were

4

> They _____ at the pool yesterday afternoon.

❶ is   ❷ are   ❸ was

❹ were   ❺ am

5

> She _____ a birthday party last Sunday.

❶ have   ❷ has   ❸ had

❹ having   ❺ doesn't have

[6-7] 다음 문장을 의문문으로 바꿔 쓸 때 빈칸에 알맞은 말을 고르세요.

6

> Mina takes piano lessons after school.
> ➡ _____ piano lessons after school?

❶ Do Mina take ❷ Does Mina take ❸ Do Mina takes

❹ Does Mina takes ❺ Did Mina take

7

> The boys made a snowman. ➡ _____ a snowman?

❶ Did the boys made ❷ Does the boys make ❸ Did the boys makes

❹ Do the boys make ❺ Did the boys make

[8-9] 다음 문장을 부정문으로 바꿔 쓸 때 빈칸에 알맞은 말을 고르세요.

8

> They were in the fifth grade last year.
> ➡ They _____ in the fifth grade last year.

❶ aren't ❷ wasn't ❸ weren't

❹ not were ❺ isn't

9

> We flew a model airplane last Sunday.
> ➡ We _____ a model airplane last Sunday.

❶ didn't flew ❷ didn't fly ❸ don't fly

❹ doesn't fly ❺ did flew not

[10-11] 다음 의문문에 대한 대답으로 알맞은 말을 고르세요.

10

> Are your parents busy today?

❶ Yes, they were.　　❷ No, they are.　　❸ Yes, they aren't.

❹ No, they aren't.　　❺ No, they don't.

11

> Was your aunt a nurse?

❶ Yes, she wasn't.　　❷ No, she was.　　❸ Yes, she was.

❹ No, she isn't.　　❺ Yes, she did.

[12-14] 다음 대화의 빈칸에 들어갈 말이 순서대로 바르게 짝지어진 것을 고르세요.

12

> **A:** Emily, do you go to school by bus?
> **B:** _____, I _____. I walk to school.

❶ Yes – do　　❷ No – doesn't　　❸ Yes – am

❹ No – don't　　❺ No – am not

13

> **A:** Does she like orange juice?
> **B:** No, she _____. She _____ grape juice.

❶ doesn't – like　　❷ don't – likes　　❸ doesn't – likes

❹ isn't – likes　　❺ didn't – liked

14

> **A:** _____ Namho help you with your homework?
> **B:** Yes, he did. He _____ me with my homework.

❶ Does – helps　　❷ Did – helped　　❸ Does – helped

❹ Did – helps　　❺ Did – help

15 다음 중 밑줄 친 부분이 <u>잘못된</u> 문장을 고르세요.

❶ There <u>aren't ducks</u> in the pond.

❷ He <u>doesn't have</u> a skateboard.

❸ We <u>didn't goes</u> to the library yesterday.

❹ <u>Do they take</u> a walk in the morning?

❺ <u>Did you send</u> e-mail to John?

16 다음 문장의 밑줄 친 부분을 바르게 고쳐 쓰세요.

> Grace ⓐ <u>ride</u> a bike on Sundays.
> But she ⓑ <u>doesn't</u> ride it last Sunday. She was sick then.

ⓐ _____   ⓑ _____

[17 – 20] 다음 우리말 뜻과 같도록 주어진 말을 사용하여 문장을 완성하세요.

17 나는 TV를 너무 많이 보지 않는다. (watch)

➡ I _____ _____ too much TV.

18 그녀는 그때 파란색 재킷을 입지 않았다. (wear)

➡ She _____ _____ a blue jacket then.

19 너는 후식으로 쿠키를 원하니? (want)

➡ _____ you _____ some cookies for dessert?

20 수호네 가족은 대전으로 이사를 갔니? (move)

➡ _____ Suho's family _____ to Daejeon?

03 미래 시제

학교에서 직업에 대해 배웠다.
선생님께서 우리의 장래 희망을 물어
보셔서 우리는 미래 시제로 대답했다.

연아는 미래에 화가가 될 것이고, 나는 농부가 될 것이다.
'~할 것이다', '~일 것이다'라고 미래의 일을 말할 때는 will을
동사와 함께 쓰면 되지.

I **will be** an artist.

I **will be** a farmer.

I am going to go to the gallery tomorrow.

하굣길에 연아가 내일 미술관에
갈 계획이라고 했다.
이렇게 '~할 계획이다, ~할 것이다'라고
예정된 계획을 말할 때는
be going to를 쓴다.

I'm going to see Yuna tomorrow.

그래, 나도 미술관에 가서 그림도 보고
연아도 만나야겠다.

will과 be going to, 이 두 가지 표현을 잘 쓰면
미래의 모습을 더욱 다양하게 나타낼 수
있을 것 같다.

01 will과 be going to

미래 시제는 '~할 것이다'라는 뜻으로 앞날에 대한 추측이나 예정된 계획을 나타내며,
주로 will과 be going to를 사용합니다. tomorrow(내일), this ~(이번 ~), next ~(다음 ~),
later(후에), soon(곧)처럼 미래를 나타내는 말과 함께 씁니다.

A will

「will+동사원형」은 '~할 것이다'라는 뜻으로 앞으로의 일을 예측하거나 무언가를 하겠다는 의지를
나타낼 때 씁니다.

I **will pass** the test. 나는 그 시험을 통과할 것이다.

The concert **will start** at 10 o'clock. 그 연주회는 10시에 시작할 것이다.

He **will clean** his room this afternoon. 그는 오늘 오후에 자기 방을 청소할 것이다.

They **will arrive** at the airport soon. 그들은 곧 공항에 도착할 것이다.

◉ will의 줄임말, 'll
I will = I'll / you will = you'll / he will = he'll / she will = she'll / it will = it'll /
we will = we'll / they will = they'll

B be going to

「be going to+동사원형」은 '~할 계획이다, ~할 것이다'라는 뜻으로 예정된 계획이나
충분한 증거가 있어서 앞으로 곧 일어날 일을 나타낼 때 씁니다.

I **am going to play** chess after dinner. 나는 저녁 식사 후에 체스를 둘 것이다.

She **is going to buy** a hat today. 그녀는 오늘 모자를 살 것이다.

We **are going to go** camping this weekend. 우리는 이번 주말에 캠핑하러 갈 것이다.

Look at the clouds. It**'s going to rain** soon. 구름을 보아라. 곧 비가 내릴 것이다.

Grammar Walk

정답 및 해설 11~12쪽

A 다음 문장의 괄호 안에서 알맞은 말을 골라 동그라미 하세요.

1 I will ((call) / calling) you this evening.

2 The game will (start / starts) at 11 o'clock.

3 They will (studies / study) in the library today.

4 My father will (be / is) in New York next month.

> will은 조동사이니까 어떤 주어가 오더라도 모양이 변하지 않아. 반면 be going to는 주어에 따라 am going to, is going to, are going to 로 바뀌어.

5 The store will (close / closing) at 9:30 p.m.

6 It will (be / is) sunny tomorrow.

7 I (help will / will help) you with your homework.

8 We (draw will / will draw) cartoons.

9 I am going to (play / plays) soccer after school.

> will과 be going to 뒤에는 항상 동사원형이 온다는 것도 잘 알아 둬.

10 They are going to (visits / visit) their aunt tomorrow.

11 He (is going / going is) to join an art club.

12 Dana and I (am going / are going) to go hiking tomorrow.

13 Hurry up! We are going to (is / be) late for the movie.

14 We (is going to / are going to) travel to Rome.

15 My mother (is going to / are going to) take swimming lessons.

WORDS · **start** 시작하다 · **close** 문을 닫다 · **cartoon** 만화, 만화 영화 · **join** 가입하다 · **travel** 여행 가다

02 미래 시제의 부정문과 의문문

미래 시제의 부정문은 will 뒤나 be going to의 be동사 뒤에 not을 써서 표현합니다.
의문문은 will이나 be동사를 문장의 맨 앞으로 보내 표현합니다.

A 미래 시제의 부정문

will의 부정문은 '~하지 않을 것이다'라는 뜻으로 「주어+won't+동사원형 ~.」으로 쓰고,
be going to의 부정문은 「주어+be동사+not+going to+동사원형 ~.」으로 씁니다.

I **won't(=will not) eat** too much fast food. 나는 패스트푸드를 너무 많이 먹지 않을 것이다.

Nancy **won't(=will not) wear** that skirt. 낸시는 저 치마를 입지 않을 것이다.

I'**m not going to join** the music club. 나는 그 음악 동아리에 가입하지 않을 것이다.

He **is not going to play** computer games at night. 그는 밤에 컴퓨터 게임을 하지 않을 것이다.

B 미래 시제의 의문문

will의 의문문은 '~을 할 거니?'라는 뜻으로 「Will+주어+동사원형 ~?」으로 쓰고,
be going to의 의문문은 '~을 할 거니?, ~할 계획이니?'라는 뜻으로
「be동사+주어+going to+동사원형 ~?」으로 씁니다.

Will she **come** to my birthday party?　　**Yes**, she **will**. / **No**, she **won't**.
그녀가 내 생일 파티에 올까?　　　　　　　　　응. 그럴 거야.　　　아니, 그러지 않을 거야.

Will it **snow** today?　　　　　　　　　　**Yes**, it **will**. / **No**, it **won't**.
오늘 눈이 내릴까?　　　　　　　　　　　　　응. 그럴 거야.　　아니, 그러지 않을 거야.

Are you **going to cook** dinner?　　　　　**Yes**, I **am**. / **No**, I'**m not**.
너는 저녁 식사를 요리할 거니?　　　　　　　응. 그럴 거야.　아니, 그러지 않을 거야.

Is he **going to study** English with us?　　**Yes**, he **is**. / **No**, he **isn't**.
그는 우리와 함께 영어를 공부할 거니?　　　　응. 그럴 거야.　　아니, 그러지 않을 거야.

Are you **going to** cook lunch?

Yes, I am.

Sunny **will not give** me any food.

Grammar Walk

정답 및 해설 12쪽

A 다음 문장의 괄호 안에서 알맞은 말을 골라 동그라미 하세요.

1 I will ((not send) / send not) her e-mail.

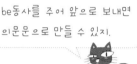

will이 있는 문장은 will 뒤에 not을 써서 부정문을 만들고, will을 주어 앞으로 보내어 의문문을 만들어.

2 They (will not / not will) play badminton today.

3 My sister (don't / won't) wear blue jeans tomorrow.

4 He will (not go / not goes) to the concert this Saturday.

5 She (is not / not is) going to have hamburgers for lunch.

be going to가 있는 문장도 be동사 뒤에 not를 쓰면 부정문, be동사를 주어 앞으로 보내면 의문문으로 만들 수 있지.

6 I'm not (going to / to going) ride a bike this afternoon.

7 They (are going not / are not going) to take a bus.

8 We are not going to (watch / watches) TV tonight.

9 (Will / Are) you get up early tomorrow morning? / Yes, I will.

10 Will he pass the test? / Yes, he (will / won't).

11 Will Dad give me some money? / No, he (will / won't).

12 Will it (is / be) cold today? / Yes, it will.

13 (Are / Will) you going to stay at your uncle's home? / Yes, I am.

14 Are they (go / going) to go on a picnic this Sunday? / No, they aren't.

15 Is John going to do his homework with you? / No, he (isn't / doesn't).

WORDS · **take** (교통수단 등을) 타다, 이용하다 · **pass** (시험에) 합격[통과]하다 · **give** 주다 · **stay** 계속 있다, 머무르다

Grammar Run! ....

A 주어진 말을 사용하여 미래 시제의 문장을 완성하세요.

1 I _____will_____ _____call_____ you later. (call)

2 He _____ _____ the baseball game on TV. (watch)

3 The bank _____ _____ at 4 p.m. (close)

4 The train _____ _____ in 20 minutes. (arrive)

5 My mother _____ _____ me with my homework. (help)

6 I _____ _____ your bag. (carry)

7 They _____ _____ her some flowers. (give)

8 We _____ _____ a walk in the park. (take)

9 My family ___is___ ___going___ ___to___ ___clean___ the house today. (clean)

10 He _____ _____ _____ a jacket today. (buy)

11 We _____ _____ _____ lunch outside. (have)

12 His uncle _____ _____ _____ _____ tomorrow. (leave)

13 They _____ _____ _____ _____ a musical tonight. (see)

14 I _____ _____ _____ _____ my aunt next week. (visit)

15 She _____ _____ _____ _____ a red dress to the party. (wear)

WORDS · **later** 나중에, 후에 · **in** ~후에 · **minute** 분 · **leave** 떠나다, 출발하다 · **wear** 입고 있다

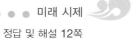

B 다음 중 알맞은 말을 찾아 문장을 완성하세요. 중복해서 사용할 수 있어요.

will	not	is	are	be	going
take	go	won't	to	aren't	

1 I ___won't___ send a text message to you.

나는 네게 문자 메시지를 보내지 않을 것이다.

2 I will _____ stay up late tonight.

나는 오늘 밤에 늦게까지 깨어 있지 않을 것이다.

3 The child _____ drink too much milk.

그 어린이는 우유를 너무 많이 마시지 않을 것이다.

4 Dave _____ tell a lie to his mom.

데이브는 자기 엄마에게 거짓말하지 않을 것이다.

5 He _____ _____ going _____ meet his uncle tomorrow.

그는 내일 자기 삼촌을 만나지 않을 것이다.

6 She _____ _____ going to join a reading club.

그녀는 독서 동아리에 가입하지 않을 것이다.

7 They are _____ going to _____ to the concert.

그들은 그 연주회에 가지 않을 것이다.

8 I'm _____ _____ _____ paint the fence today.

나는 오늘 울타리를 페인트칠하지 않을 것이다.

9 _____ they come to my birthday party? / Yes, they will.

그들은 내 생일 파티에 올까?   응, 그럴 거야.

10 _____ it _____ warm today? / No, it won't.

오늘은 날씨가 따뜻할까?   아니, 그렇지 않을 거야.

11 Will you study hard for the test? / Yes, we _____.

너희들은 시험에 대비하여 열심히 공부할 거니?   응, 그럴 거야.

12 _____ Hana going to _____ piano lessons? / Yes, she is.

하나는 피아노 교습을 받을 거니?   응, 그럴 거야.

13 _____ you _____ to take the subway to City Hall? / Yes, I am.

너는 지하철을 타고 시청에 갈 거니?   응, 그럴 거야.

14 Are Jack and Jill going to go camping this Friday? / No, they _____.

잭과 질은 이번 주 금요일에 캠핑하러 갈 거니?   아니, 그러지 않을 거야.

WORDS · **stay up late** 늦게까지 자지 않고 있다 · **tonight** 오늘 밤에 · **tell a lie** 거짓말하다 · **City Hall** 시청

Grammar Jump!

A 다음 문장을 부정문으로 바꿔 쓸 때 빈칸에 알맞은 말을 쓰세요.

1 The plane will leave at 10:30 a.m.
   → The plane ____will____ ____not____ ____leave____ at 10:30 a.m.

2 They will exercise tomorrow morning.
   → They _____ _____ _____ tomorrow morning.

3 My family will move to Incheon next month.
   → My family _____ _____ _____ to Incheon next month.

4 She will keep her promise.
   → She _____ _____ _____ her promise.

5 I will have bread and milk for lunch.
   → I _____ _____ _____ bread and milk for lunch.

6 We will tell the truth to Janet.
   → We _____ _____ _____ the truth to Janet.

7 It's going to be sunny all day.
   → It's ____not____ ____going____ ____to____ ____be____ sunny all day.

8 I'm going to take a rest.
   → I'm _____ _____ _____ _____ a rest.

9 She's going to write a story.
   → She's _____ _____ _____ _____ a story.

10 Dean is going to come back soon.
   → Dean is _____ _____ _____ _____ back soon.

11 We are going to ride horses on the farm.
   → We are _____ _____ _____ _____ horses on the farm.

12 They are going to see a movie today.
   → They are _____ _____ _____ _____ a movie today.

WORDS · **move** 이사하다, 옮기다 · **keep one's promise** 약속을 지키다 · **tell the truth** 진실[사실]을 말하다 · **take a rest** 쉬다

B 다음 문장을 의문문으로 바꿔 쓸 때 빈칸에 알맞은 말을 쓰세요.

1 You will give me some juice.
➡ __Will__ __you__ __give__ me some juice?

2 They will arrive at the airport on time.
➡ _____ _____ _____ at the airport on time?

3 Our soccer team will win the game.
➡ _____ _____ _____ _____ the game?

4 Mark will visit the museum this weekend.
➡ _____ _____ _____ the museum this weekend?

5 She will be fourteen years old next year.
➡ _____ _____ _____ fourteen years old next year?

6 You will keep the rules.
➡ _____ _____ _____ the rules?

7 They are going to buy a tent for camping.
➡ __Are__ __they__ __going__ __to__ __buy__ a tent for camping?

8 Bora is going to bring a camera.
➡ _____ _____ _____ _____ _____ a camera?

9 He is going to fix the roof.
➡ _____ _____ _____ _____ _____ the roof?

10 You are going to play golf today.
➡ _____ _____ _____ _____ _____ golf today?

11 Dad is going to cook dinner.
➡ _____ _____ _____ _____ _____ dinner?

12 We are going to go on a picnic.
➡ _____ _____ _____ _____ _____ on a picnic?

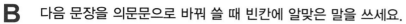

WORDS
· **airport** 공항　　· **win** 이기다, 따다　　· **keep the rules** 규칙을 지키다　　· **bring** 가져오다　　· **roof** 지붕

Grammar Fly!

A 주어진 말을 바르게 배열하여 미래 시제의 문장을 쓰세요.

1 (I / for you / carry the boxes / will / .) 나는 너를 위해 상자들을 날라 줄 것이다.
➡ I will carry the boxes for you.

2 (Sue / visit my uncle's farm / will / this Sunday / .) 수는 이번 일요일에 우리 삼촌의 농장을 방문할 것이다.
➡ _____

3 (he / tomorrow / not / call you again / will / .) 그는 내일 네게 다시 전화하지 않을 것이다.
➡ _____

4 (I / will / keep a diary / not / .) 나는 일기를 쓰지 않을 것이다.
➡ _____

5 (they / the baseball game / will / win / ?) 그들은 그 야구 시합에서 이길까?
➡ _____

6 (you / by bus / will / go to the library / ?) 너는 버스로 도서관에 갈 거니?
➡ _____

7 (she's / to her home / invite Bill / going to / .) 그녀는 빌을 자기 집에 초대할 것이다.
➡ _____

8 (we're / go shopping / going to / tonight / .) 우리는 오늘 밤에 쇼핑하러 갈 것이다.
➡ _____

9 (I'm / tell a lie / not going to / to you / .) 나는 네게 거짓말하지 않을 것이다.
➡ _____

10 (he / take skating lessons / not going to / is / .) 그는 스케이트 강습을 받지 않을 것이다.
➡ _____

11 (Sora / is / with us / study math / going to / ?) 소라는 우리와 함께 수학을 공부할 거니?
➡ _____

12 (they / going to / are / their in-line skates / bring / ?) 그들은 자기 인라인스케이트를 가져올 거니?
➡ _____

· **keep a diary** 일기를 쓰다 · **win** 이기다 · **invite** 초대하다 · **tell a lie** 거짓말하다 · **in-line skates** 인라인스케이트

B 주어진 말을 사용하여 미래 시제의 문장으로 바꿔 쓰세요.

1 I am at the swimming pool today. (will)
➡ _____ I will[I'll] be at the swimming pool today.

2 We feed our dog in the morning. (be going to)
➡ _____

3 He stays at home all day. (will)
➡ _____

4 Minju plays the piano today. (be going to)
➡ _____

5 They don't make paper airplanes. (will)
➡ _____

6 I don't go to the dentist. (be going to)
➡ _____

7 It isn't windy and cold today. (will)
➡ _____

8 I don't eat too much ice cream. (will)
➡ _____

9 Do you have chicken and salad for dinner? (will)
➡ _____

10 Does she take a rest after lunch? (be going to)
➡ _____

11 Do they read many books during the vacation? (be going to)
➡ _____

12 Do we catch fish in the river? (be going to)
➡ _____

WORDS · **go to the dentist** 치과에 가다 · **windy** 바람이 많이 부는 · **salad** 샐러드 · **during the vacation** 방학[휴가] 동안

Grammar & Writing

A 　정보 활용하기　 준호는 새해를 맞이하여 올해 할 일과 하지 않을 일을 정했습니다. 그림을 보고, 준호의 새해 결심에 대한 문장을 완성하세요.

Junho's New Year's Resolutions

exercise regularly

clean my room

study English hard

watch too much TV ✕

eat too much junk food ✕

stay up late ✕

1 Junho _____will exercise regularly_____ .

2 Junho _____ every day.

3 Junho _____ .

4 Junho _____ .

5 Junho _____ .

6 Junho _____ .

 · **New Year's resolutions** 새해 결심　　· **exercise** 운동하다　　· **regularly** 규칙적으로　　· **clean** 청소하다

B 표 해석하기 준호네 반 친구들의 여름 방학 계획을 조사한 표입니다. **be going to**와 주어진 말을 사용하여 표의 내용에 맞게 문장을 쓰세요.

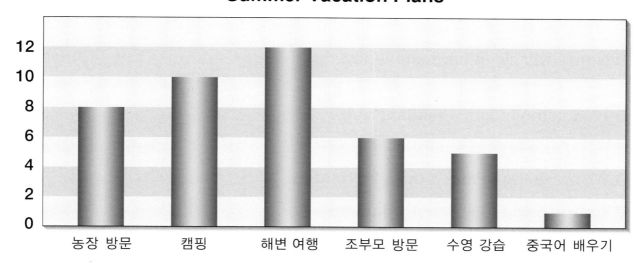

Summer Vacation Plans

농장 방문 · 캠핑 · 해변 여행 · 조부모 방문 · 수영 강습 · 중국어 배우기

1 _Eight students are going to visit a farm._ (visit a farm)

2 _____ (go camping)

3 _____ (go to the beach)

4 _____ (visit their grandparents)

5 _____ (take swimming lessons)

6 One student _____ . (learn Chinese)

WORDS · **vacation** 방학　· **plan** 계획　· **beach** 해변, 바닷가　· **learn** 배우다, 학습하다　· **Chinese** 중국어, 중국인

UNIT TEST 03

[1-2] 다음 중 밑줄 친 부분이 잘못된 문장을 고르세요.

1   ❶ I will keep my promise.   ❷ The game will start soon.

❸ It will be cloudy tomorrow.   ❹ They will has lunch outside.

❺ Nancy will clean her room today.

2   ❶ I am going to join a reading club.

❷ It is going to rain today.

❸ We are going to flies a model airplane.

❹ Tony is going to visit his grandmother.

❺ They are going to play chess after dinner.

[3-4] 다음 문장의 빈칸에 알맞은 말을 고르세요.

3

I _____ thirteen years old next year.

❶ will is   ❷ is will   ❸ be will

❹ will be   ❺ will do

4

Dana _____ her birthday party this Saturday.

❶ are going to have   ❷ is going to has   ❸ am going to have

❹ is going have to   ❺ is going to have

5   다음 문장의 빈칸에 들어갈 수 없는 말을 고르세요.

My parents are going to buy a car _____.

❶ last Sunday   ❷ tomorrow   ❸ this weekend

❹ next week   ❺ next month

[6-7] 다음 문장을 부정문으로 바꿔 쓸 때 빈칸에 알맞은 말을 고르세요.

6
> I will take a bus to the museum.
> 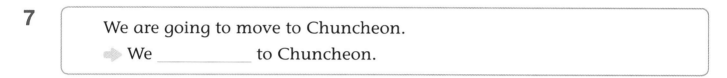 I _____ a bus to the museum.

❶ not will take ❷ will take not ❸ will not take

❹ will not takes ❺ will don't take

7
> We are going to move to Chuncheon.
> ➡ We _____ to Chuncheon.

❶ are going not to move ❷ are not going to move ❸ are going to not move

❹ are going to move not ❺ don't going to move

[8-9] 다음 의문문에 대한 대답으로 알맞은 것을 고르세요.

8
> Will they go shopping this afternoon?

❶ Yes, they are. ❷ No, they don't. ❸ No, they won't.

❹ Yes, will they. ❺ No, they not will.

9
> Is he going to see a doctor?

❶ Yes, he is. ❷ Yes, he isn't. ❸ Yes, he does.

❹ No, he doesn't. ❺ Yes, he did.

[10-11] 다음 문장을 의문문으로 바꿔 쓸 때 빈칸에 알맞은 말을 고르세요.

10

My team will win the soccer game. ➡ _____ the soccer game?

❶ Do my team will win ❷ Will my team win ❸ Will my team won

❹ Is my team will win ❺ Does my team will win

11

We are going to leave for the beach tomorrow.
➡ _____ for the beach tomorrow?

❶ Are going we to leave ❷ Do we going to leave ❸ Are we go to leave

❹ Going to we are leave ❺ Are we going to leave

12 다음 중 올바른 문장을 고르세요.

❶ Susan will calls me later. ❷ I'm going to takes a rest.

❸ Will the train arrived at 3? ❹ Is the girls going to come back soon?

❺ We aren't going to ride horses today.

[13-14] 다음 우리말 뜻과 같도록 괄호 안에서 알맞은 말을 고르세요.

13

나는 아이스크림을 너무 많이 먹지 않을 것이다.

➡ I (won't eats / won't eat) too much ice cream.

14

너는 수영 강습을 받을 거니?

➡ (Are you / Will you) going to take swimming lessons?

15 다음 중 짝지어진 대화가 <u>어색한</u> 것을 고르세요.

  ❶ **A:** Will you help me?   **B:** Yes, I will.

  ❷ **A:** Will they win the game?   **B:** No, they aren't.

  ❸ **A:** Are you going to study English?   **B:** Yes, I am.

  ❹ **A:** Are they going to play basketball?   **B:** Yes, they are.

  ❺ **A:** Is Nancy going to cook lunch?   **B:** No, she isn't.

[16 - 17] 다음 문장의 빈칸에 들어갈 말이 순서대로 바르게 짝지어진 것을 고르세요.

16

> • She _____ the piano every day.
> • She _____ the piano tomorrow.

  ❶ practice – will practices   ❷ practices – practiced   ❸ practices – will practice

  ❹ practiced – practices   ❺ will practice – practices

17

> • I _____ a bike every weekend.
> • I _____ a bike this weekend.

  ❶ ride – am going to ride   ❷ ride – am going ride to   ❸ rides – am going to ride

  ❹ rides – is going to ride   ❺ rode – am going to rides

[18 - 19] 다음 문장의 밑줄 친 부분을 바르게 고쳐 문장을 완성하세요.

18

> Randy won't <u>watches</u> the soccer game on TV.

  ➡ Randy won't _____ the soccer game on TV.

19

> It's <u>going not to snows</u> this Christmas.

  ➡ It's _____ _____ _____ _____ this Christmas.

[20 - 21] 다음 대화의 빈칸에 알맞은 말을 쓰세요.

20

> **A:** Will you go to the concert this evening?
> **B:** No, _____ _____ .

21

> **A:** Are you and Mina going to join the reading club?
> **B:** Yes, _____ _____ .

[22 - 25] 다음 우리말 뜻과 같도록 주어진 말을 사용하여 문장을 완성하세요.

22 나는 일기를 쓸 것이다. (keep)

➡ I _____ _____ a diary.

23 우리는 연주회에 늦지 않을 것이다. (be)

➡ We _____ _____ _____ _____ late for the concert.

24 너는 이것을 네 남동생에게 줄 거니? (give)

➡ _____ _____ _____ this to your brother?

25 그는 내게 그 이야기를 해 줄까? (tell)

➡ _____ _____ _____ _____ me the story?

WRAP UP

1 미래 시제 will

❶ 미래의 일에 대한 추측이나 의지를 나타낼 때 「¹[   ]+동사원형」을 쓴다.

❷ will의 부정문은 「주어+²[   ]+동사원형 ~.」으로 쓴다.

❸ will의 의문문은 「³[   ]+주어+동사원형 ~?」으로 쓴다.

2 미래 시제 be going to

❶ 하겠다고 결정한 미래의 일이나 예정된 계획을 말할 때, 또는 현재 상황으로 봐서 미래에 그렇게 될 것이라고 말할 때 「be ¹[   ]²[   ]+동사원형」을 쓴다.

❷ be going to의 부정문은 「주어+be동사+³[   ]+going to+동사원형 ~.」으로 쓴다.

❸ be going to의 의문문은 「be동사+주어+⁴[   ]to+동사원형 ~?」으로 쓴다.

Check Up 그림을 보고, 알맞은 말을 찾아 다음 대화의 빈칸에 쓰세요.

will	going	wake	to

UNIT 04 진행 시제

열심히 숙제를 하는 중에 전화가 울려요.
민지네요.

I'm doing my homework.

뭐 하고 있는지 묻는 민지에게
'~하고 있다'라는 뜻의 현재 진행형으로
'숙제를 하고 있다'고 말해요.

현재 진행형은 지금 하고 있는
일을 **나타내니까요.**

I **was taking** a shower.

아! 민지가 한 시간 전에도
전화했었는데 내가 못 받았나 봐요.
그때 나는 샤워를 하고 있었어요.

'~하고 있었다'라고 과거 그 시간에 무엇을 하고 있
었는지 말해 주는 과거 진행형이 있어 다행이에요.

진행 시제를 사용하니
내가 지금 하는 일, 내가 그때 하고 있던 일 등을
더욱 생생하게 나타낼 수 있어 좋아요.

진행 시제 **73**

❦01 진행 시제

진행 시제는 어느 때에 진행 중인 행동이나 일을 나타낼 때 씁니다.

Ⓐ 현재 진행 시제

현재 진행형은 「am/are/is+동사원형-ing(~하는 중이다, ~하고 있다)」의 형태이며
주어에 따라 be동사가 바뀝니다.

I **am writing** an e-mail. 나는 이메일을 쓰고 있다.

He **is flying** a kite. 그는 연을 날리고 있다.

The girl **is sitting** on the sofa. 그 여자아이는 소파에 앉아 있다.

They **are watching** a movie. 그들은 영화를 보고 있다.

Ⓑ 과거 진행 시제

과거 진행형은 「was/were+동사원형-ing(~하는 중이었다, ~하고 있었다)」의 형태입니다.

I **was taking** a shower then. 나는 그때 샤워를 하고 있었다.

It **was raining** last night. 어젯밤에는 비가 내리고 있었다.

They **were running** on the playground. 그들은 운동장에서 달리고 있었다.

💡 「동사원형-ing」 만드는 법

대부분의 동사	-e로 끝나는 동사
동사원형+-ing	-e를 지우고 -ing를 붙임.
「단모음+단자음」으로 끝나는 동사	-ie로 끝나는 동사
마지막 자음을 한 번 더 쓰고 -ing를 붙임.	-ie를 -y로 바꾸고 -ing를 붙임.

Where is Zack?

He **was swimming** over there.

Dad, I'm **swimming** here!

Grammar Walk

정답 및 해설 16쪽

A 다음 동사의 「동사원형-ing」형을 빈칸에 쓰세요.

1 watch ➡ watching

2 make ➡ _____

3 cut ➡ _____

4 read ➡ _____

5 lie ➡ _____

6 study ➡ _____

7 sit ➡ _____

8 dance ➡ _____

9 go ➡ _____

10 tie ➡ _____

11 walk ➡ _____

12 write ➡ _____

13 shop ➡ _____

14 listen ➡ _____

B 다음 문장의 괄호 안에서 알맞은 말을 골라 동그라미 하세요.

1 The girl ((is looking) / looking) at flowers.

2 I (am wash / am washing) my hands now.

3 He (running / is running) in the park.

4 They (are taking / is taking) a swimming lesson.

5 It (is snows / is snowing) outside.

6 He (was flying / flying) a model airplane then.

7 We (were walk / were walking) along the river.

8 She (was making / were making) dinner in the kitchen.

9 They (going / were going) to the train station.

10 I (was watching / were watching) a cartoon on TV.

현재 진행 시제와 과거 진행 시제 모두 be동사 뒤에 「동사원형-ing」형을 쓰고 있어.

맞아. 단, 현재 진행 시제에서는 be동사의 현재형을 쓰고, 과거 진행 시제에서는 be동사의 과거형을 써야 해.

> **WORDS** · **cut** 자르다 · **lie** 누워 있다 · **tie** 묶다, 매다 · **train station** 기차역 · **cartoon** 만화 영화

02 진행 시제의 부정문과 의문문

진행 시제의 부정문은 be동사 뒤에 not을 넣어 나타내고, 의문문은 be동사를 주어 앞으로 보내 나타냅니다.

A 진행 시제의 부정문

현재 진행형의 부정문은 「am/are/is not+동사원형-ing(~하고 있지 않다, ~하는 중이 아니다)」를 사용하고, 과거 진행형의 부정문은 「was/were not+동사원형-ing(~하고 있지 않았다, ~하는 중이 아니었다)」를 사용합니다.

He's **not reading** a book. = He **isn't reading** a book. 그는 책을 읽고 있지 않다.

They're **not eating** food. = They **aren't eating** food. 그들은 음식을 먹고 있지 않다.

I **wasn't**(=was not) **dancing**. 나는 춤을 추고 있지 않았다.

We **weren't**(=were not) **catching** fish. 우리는 물고기를 잡고 있지 않았다.

B 진행 시제의 의문문

현재 진행형의 의문문은 「Am/Are/Is+주어+동사원형-ing ~?(~하고 있니?, ~하는 중이니?)」로 쓰고, 과거 진행형의 의문문은 「Was/Were+주어+동사원형-ing ~?(~하고 있었니?, ~하는 중이었니?)」로 씁니다.

Are you **watering** the flowers?
너는 꽃에 물을 주고 있니?

Yes, I **am**. / **No**, I'm **not**.
응, 그래.　　　아니, 그러지 않아.

Is she **jumping rope** in the yard?
그녀는 마당에서 줄넘기를 하고 있니?

Yes, she **is**. / **No**, she **isn't**.
응, 그래.　　　아니, 그러지 않아.

Was he **riding** a bike?
그는 자전거를 타고 있었니?

Yes, he **was**. / **No**, he **wasn't**.
응, 그랬어.　　　아니, 그러지 않았어.

Were they **shopping** at the market?
그들은 시장에서 물건을 사고 있었니?

Yes, they **were**. / **No**, they **weren't**.
응, 그랬어.　　　아니, 그러지 않았어.

Grammar Walk

정답 및 해설 16쪽

A 다음 문장의 괄호 안에서 알맞은 말을 골라 동그라미 하세요.

1 I (not am / (am not)) cleaning my room.

2 We (isn't / aren't) doing our homework.

3 My uncle (isn't / aren't) wearing a coat.

4 We (not were / were not) surfing the Internet.

5 He (wasn't / weren't) sitting on a bench.

6 Dana and I (wasn't / weren't) playing chess.

7 (Are / Is) you writing a letter?

8 (Is Mom looking / Is looking Mom) for a key?

9 (Was / Were) he studying science?

10 (Were playing they / Were they playing) computer games?

현재 진행 시제와 과거 진행 시제 부정문에서는 둘 다 be동사 뒤에 not을 쓰는구나.

응. be동사 현재형은 isn't와 aren't로, 과거형은 wasn't와 weren't로 줄여 쓸 수 있다는 것도 잘 기억해.

B 다음 의문문에 알맞은 대답을 골라 동그라미 하세요.

1 Were you waiting for me? ❶ Yes, I did. ❷Yes, I was.

2 Is he climbing the ladder? ❶ No, he isn't. ❷ No, he is.

3 Was Minju drawing a picture? ❶ Yes, she was. ❷ Yes, she did.

4 Are they riding horses? ❶ No, they weren't. ❷ No, they aren't.

 WORDS
· **surf the Internet** 인터넷 서핑을 하다   · **look for** ~을 찾다   · **wait for** ~를 기다리다   · **ladder** 사다리

Grammar Run! ....

A 주어진 말을 사용하여 다음 문장을 완성하세요.

1 They ___are___ ___catching___ fish. (catch)
그들은 물고기를 잡고 있다.

2 My father _____ _____ a shower now. (take)
우리 아버지는 지금 샤워를 하고 계신다.

3 A butterfly _____ _____ on a bench. (sit)
나비 한 마리가 벤치에 앉아 있다.

4 We _____ _____ fun at the camp. (have)
우리는 캠프에서 즐겁게 지내고 있다.

5 The students _____ _____ in the gym. (exercise)
그 학생들은 체육관에서 운동을 하고 있다.

6 He _____ _____ a sandcastle. (build)
그는 모래성을 쌓고 있다.

7 Kate _____ _____ a kite. (fly)
케이트는 연을 날리고 있다.

8 I _____ _____ my cat. (feed)
나는 우리 고양이에게 먹이를 주고 있다.

9 The birds ___were___ ___singing___ in the tree. (sing)
그 새들은 나무에서 지저귀고 있었다.

10 She _____ _____ yoga at home. (do)
그녀는 집에서 요가를 하고 있었다.

11 We _____ _____ basketball on the playground. (play)
우리는 운동장에서 농구를 하고 있었다.

12 They _____ _____ _____ in the yard. (jump rope)
그들은 마당에서 줄넘기를 하고 있었다.

13 The boy _____ _____ on the grass. (lie)
그 남자아이는 잔디밭에 누워 있었다.

14 I _____ _____ on the phone then. (talk)
나는 그때 전화로 이야기하고 있었다.

15 My sister and I _____ _____ our mother. (help)
우리 누나와 나는 어머니를 도와 드리고 있었다.

> have, know, like, hate처럼 동작이 아니라 '소유', '상태', '감정' 등을 나타내는 동사는 진행형으로 쓰지 않아.

> 단, have는 '가지고 있다'라는 뜻일 땐 진행형으로 쓰지 못하지만, We are having fun.처럼 have가 '먹다', '지내다'라는 뜻일 때는 진행형으로 쓸 수 있어.

> jump rope의 '-ing형'은 jumping rope야.

WORDS
· **have fun** 재미있게 놀다   · **camp** 캠프, 야영지   · **gym** 체육관   · **yard** 마당, 정원   · **on the phone** 전화로

B 주어진 말을 사용하여 부정문과 의문문을 완성하세요.

1 My grandfather _____isn't_____ _____taking_____ a rest. (take)
우리 할아버지는 쉬고 계시지 않다.

2 It _____ _____ now. (rain)
지금은 비가 내리고 있지 않다.

3 We _____ _____ to the stationery store. (go)
우리는 문구점에 가고 있지 않다.

4 I'm _____ _____ a comic book. (read)
나는 만화책을 읽고 있지 않다.

5 Jackie _____ _____ in her room. (sleep)
재키는 자기 방에서 자고 있지 않았다.

6 They _____ _____ the grass this morning. (cut)
그들은 오늘 아침에 잔디를 깎고 있지 않았다.

7 He _____ _____ in his diary then. (write)
그는 그때 일기를 쓰고 있지 않았다.

8 _____Are_____ you _____looking_____ for your hat? (look)
너는 네 모자를 찾고 있니?

9 _____ your parents _____ at the market? (shop)
네 부모님은 시장에서 물건을 사고 계시니?

10 _____ Steven _____ orange juice? (drink)
스티븐은 오렌지 주스를 마시고 있니?

11 _____ the rabbit _____ a carrot? (eat)
그 토끼는 당근을 먹고 있니?

12 _____ you and Paul _____ the flowers? (water)
너와 폴은 꽃에 물을 주고 있었니?

13 _____ Cathy _____ with you? (chat)
캐시는 너와 수다를 떨고 있었니?

14 _____ your father _____ the car? (wash)
너희 아버지는 세차를 하고 계셨니?

15 _____ you _____ your aunt in a restaurant? (meet)
너는 식당에서 너희 이모를 만나고 있었니?

WORDS · **stationery store** 문구점 · **comic book** 만화책 · **carrot** 당근 · **water** 물을 주다 · **chat** 수다를 떨다

Grammar Jump!

A 다음 문장을 괄호 안의 지시대로 바꿀 때 빈칸에 알맞은 말을 쓰세요.

1 The dog is running in the park. (부정문)
➡ The dog isn't running in the park.

2 I'm not surfing the Internet now. (긍정문)
➡ _____ _____ the Internet now.

3 We are picking apples in the yard. (부정문)
➡ _____ _____ _____ apples in the yard.

4 She isn't waiting for a bus. (긍정문)
➡ _____ _____ _____ for a bus.

5 They are looking at the moon. (부정문)
➡ _____ _____ _____ at the moon.

6 The man isn't tying his shoelaces. (긍정문)
➡ _____ _____ _____ _____ his shoelaces.

7 We were having a birthday party yesterday. (부정문)
➡ We weren't having a birthday party yesterday.

8 My father wasn't playing the guitar. (긍정문)
➡ _____ _____ _____ _____ the guitar.

9 I was singing with my mother. (부정문)
➡ _____ _____ _____ with my mother.

10 My brother and sister weren't dancing together. (긍정문)
➡ _____ _____ _____ _____ _____ together.

11 Dana was making a poster. (부정문)
➡ _____ _____ _____ a poster.

12 They weren't carrying the heavy boxes. (긍정문)
➡ _____ _____ _____ the heavy boxes.

B 다음 중 알맞은 말을 찾아 대화를 완성하세요. 중복해서 사용할 수 있고, 필요하면 형태를 바꾸세요.

| weren't | is | wash | close | ride | drive | listen | watch | are | wasn't |
| isn't | not | cross | paint | wear | was | feed | fly | take | were | aren't |

1 A: ___Is___ Amy ___closing___ the window?
에이미는 창문을 닫고 있니?

B: No, she ___isn't___ .
아니. 그러지 않아.

2 A: _____ your parents _____ to music?
너희 부모님은 음악을 듣고 계시니?

B: Yes, they _____ .
응. 그래.

3 A: _____ you _____ your face?
너는 세수를 하고 있니?

B: No, I'm _____ .
아니. 그러지 않아.

4 A: _____ she _____ a walk?
그녀는 산책을 하고 있니?

B: Yes, she _____ .
응. 그래.

5 A: _____ your uncle _____ a car?
너희 삼촌은 자동차를 운전하고 계시니?

B: Yes, he _____ .
응. 그래.

6 A: _____ they _____ the table?
그들은 탁자에 페인트칠을 하고 있니?

B: No, they _____ .
아니. 그러지 않아.

7 A: ___Was___ he ___feeding___ his dog?
그는 자기 개에게 먹이를 주고 있었니?

B: No, he ___wasn't___ .
아니. 그러지 않았어.

8 A: _____ you _____ the street?
너는 길을 건너고 있었니?

B: Yes, I _____ .
응. 그랬어.

9 A: _____ the eagle _____ in the sky?
그 독수리는 하늘에서 날고 있었니?

B: Yes, it _____ .
응. 그랬어.

10 A: _____ you and Mary _____ a musical?
너와 메리는 뮤지컬을 보고 있었니?

B: Yes, we _____ .
응. 그랬어.

11 A: _____ she _____ a hat?
그녀는 모자를 쓰고 있었니?

B: No, she _____ .
아니. 그러지 않았어.

12 A: _____ they _____ a roller coaster?
그들은 롤러코스터를 타고 있었니?

B: No, they _____ .
아니. 그러지 않았어.

 · **take a walk** 산책하다　· **paint** 페인트칠하다. 그리다　· **feed** 먹이를 주다　· **cross** 건너다

Grammar Fly! · · · · · · · · · · · · · · · · · · ·

A   다음 문장을 현재 시제는 현재 진행 시제로, 과거 시제는 과거 진행 시제로 바꿔 쓰세요.

1   He lies on the carpet.
➡ He is[He's] lying on the carpet.

2   Sophie plays with her dog.
➡ _____

3   I go to the supermarket.
➡ _____

4   We stayed at our aunt's house.
➡ _____

5   Nari chatted with Suho.
➡ _____

6   They played baseball today.
➡ _____

7   She doesn't run in the park.
➡ She isn't[is not] running in the park. / She's not running in the park.

8   Your father doesn't drink coffee.
➡ _____

9   You don't study Japanese.
➡ _____

10   It didn't snow much.
➡ _____

11   We didn't wait for a train.
➡ _____

12   My brother didn't dry his hair.
➡ _____

WORDS   · **carpet** 카펫, 양탄자   · **stay** 머무르다   · **snow** 눈이 오다[내리다]   · **much** 많이   · **dry** 말리다

B 주어진 말을 바르게 배열하여 진행 시제의 문장을 쓰세요.

1 (we / looking at the stars / are / .) 우리는 별들을 보고 있다.

➡ _We are looking at the stars._

2 (Susan / her grandmother / calling / is / .) 수잔은 자기 할머니께 전화를 하고 있다.

➡ _____

3 (I / a ball / buying / am / .) 나는 공 하나를 사고 있다.

➡ _____

4 (my mother / reading / the newspaper / was / .) 우리 어머니는 신문을 읽고 계셨다.

➡ _____

5 (we / taking pictures / were / .) 우리는 사진을 찍고 있었다.

➡ _____

6 (a cat / crying / was / last night / .) 지난밤에 고양이 한 마리가 울고 있었다.

➡ _____

7 (the girl / a comic book / isn't / reading / .) 그 여자아이는 만화책을 읽고 있지 않다.

➡ _____

8 (the students / aren't / questions / asking / .) 그 학생들은 질문을 하고 있지 않다.

➡ _____

9 (I / then / wearing gloves / wasn't / .) 나는 그때 장갑을 끼고 있지 않았다.

➡ _____

10 (are / drawing / flowers / you / ?) 너는 꽃들을 그리고 있니?

➡ _____

11 (were / feeding / rabbits / they / ?) 그들은 토끼들에게 먹이를 주고 있었니?

➡ _____

12 (was / teaching / your uncle / English / ?) 너희 삼촌은 영어를 가르치고 계셨니?

➡ _____

WORDS · **newspaper** 신문 · **take a picture** 사진을 찍다 · **cry** 울다, 외치다 · **ask a question** 질문하다 · **teach** 가르치다

Grammar & Writing

A 　그림 묘사하기　 다음 장면에서 주인공들은 무엇을 하고 있었을까요? 주어진 말을 사용하여 각 장면에 대한 과거 진행 시제의 문장을 완성하세요.

1 Superman _____was flying in the sky_____ .

2 Cinderella _____ .

3 Snow White _____ .

4 The Little Mermaid _____ .

5 Geppetto _____ Pinocchio.

6 Peter Pan _____ Captain Hook.

 · **Snow White** 백설 공주　 · **The Little Mermaid** 인어 공주　 · **make** 만들다　 · **fight against** ~와 싸우다

B 그림 묘사하기 해변에서 사람들이 무엇을 하고 있을까요? 그림을 보고, 다음 중 알맞은 말을 찾아 현재 진행형 문장을 완성하세요.

| fish | lie | eat | play | fly | build | swim |

1 Three people ___are swimming___ in the sea.

2 A girl and her father _____ sandcastles.

3 A woman _____ on the sand.

4 A man _____ in the sea.

5 A boy _____ a kite.

6 A girl _____ ice cream.

7 Two boys _____ with a beach ball.

WORDS · **sea** 바다 · **sand** 모래, 모래사장 · **fish** 낚시하다 · **fly a kite** 연을 날리다 · **beach ball** 비치 볼

UNIT TEST 04

[1-2] 다음 중 「동사원형-ing」형이 <u>잘못</u> 짝지어진 것을 고르세요.

1   ❶ write – writing   ❷ shop – shoping   ❸ read – reading

       ❹ tie – tying   ❺ watch – watching

2   ❶ sit – sitting   ❷ fly – flying   ❸ lie – lying

       ❹ dance – danceing   ❺ rain – raining

[3-5] 다음 문장의 빈칸에 알맞은 말을 고르세요.

3

> My father _____ in the gym.

     ❶ is exercise   ❷ are exercising   ❸ exercising is

     ❹ is exercising   ❺ do exercising

4

> They _____ to the museum.

     ❶ is going   ❷ going is   ❸ are going

     ❹ going are   ❺ are go

5

> Tina _____ with her friend then.

     ❶ were talking   ❷ was talking   ❸ talking was

     ❹ did talking   ❺ was talks

[6-7] 다음 문장을 부정문으로 바꿔 쓸 때 빈칸에 알맞은 말을 고르세요.

6

I am studying math now. ➡ I _____ math now.

❶ not am studying   ❷ don't studying   ❸ am not studying

❹ am not study   ❺ doesn't study

7

We were watching a baseball game.
➡ We _____ a baseball game.

❶ weren't watching   ❷ were watching not   ❸ wasn't watching

❹ watching weren't   ❺ didn't watching

[8-9] 다음 문장을 의문문으로 바꿔 쓸 때 빈칸에 알맞은 말을 고르세요.

8

You are making a sandwich. ➡ _____ a sandwich?

❶ Do you making   ❷ Are you make   ❸ Are making you

❹ Does you make   ❺ Are you making

9

She was wearing a hat. ➡ _____ a hat?

❶ Were she wearing   ❷ Were wearing she   ❸ Did she wearing

❹ Was she wearing   ❺ Was she wear

[10–11] 다음 의문문에 대한 대답으로 알맞은 말을 고르세요.

10

> Are you drinking orange juice, Nicole?

❶ Yes, she is.　　　❷ No, I'm not.　　　❸ Yes, we are.

❹ Yes, I do.　　　❺ No, we don't.

11

> Were the birds flying in the sky?

❶ Yes, they did.　　　❷ No, they wasn't.　　　❸ Yes, they were.

❹ No, it wasn't.　　　❺ Yes, they was.

[12–13] 다음 빈칸에 들어갈 말이 순서대로 바르게 짝지어진 것을 고르세요.

12

> It _____ snowing yesterday.
> It isn't _____ now. It's sunny.

❶ is – snowing　　　❷ was – snow　　　❸ were – snowing

❹ was – snowing　　　❺ is – snow

13

> The students _____ playing soccer then.
> They _____ playing soccer now. They are playing basketball.

❶ was – weren't　　　❷ were – aren't　　　❸ were – isn't

❹ are – were　　　❺ were – don't

14 다음 우리말 뜻과 같도록 괄호 안에서 알맞은 말을 고르세요.

> 빌은 자기 고양이에게 먹이를 주고 있었다.

➡ Bill (was / were) feeding his cat.

[15-16] 다음 중 밑줄 친 부분이 잘못된 문장을 고르세요.

15 ❶ We <u>aren't making</u> a snowman.

❷ Kate <u>is having</u> lunch with Dean.

❸ <u>Are</u> you <u>going</u> to the library?

❹ He <u>isn't play</u> the guitar now.

❺ <u>Is</u> she <u>looking</u> for a key?

16 ❶ My sister <u>was washing</u> her face.

❷ They <u>weren't buying</u> robots at the store.

❸ I <u>wasn't taking</u> a shower then.

❹ <u>Were</u> Sujin <u>writing</u> an e-mail to her father?

❺ <u>Were</u> you <u>running</u> in the park?

17 다음 중 짝지어진 대화가 어색한 것을 고르세요.

❶ A: Are you listening to music?   B: Yes, I am.

❷ A: Is Dave cleaning his room?   B: No, he isn't.

❸ A: Were they riding horses there?   B: Yes, they was.

❹ A: Was Mina sitting on the bench?   B: Yes, she was.

❺ A: Were you waiting for me?   B: No, I wasn't.

[18-19] 다음 문장을 지시대로 바꿀 때 빈칸에 알맞은 말을 쓰세요.

18
> A duck swims in the pond. (현재 진행 시제)
> ⇒ A duck _____ _____ in the pond.

19

We looked at the beautiful flowers. (과거 진행 시제)

➡ We _____ _____ at the beautiful flowers.

20 다음 밑줄 친 부분을 바르게 고쳐서 문장을 완성하세요.

Jordan isn't playing the piano yesterday.

➡ Jordan _____ playing the piano yesterday.

[21 – 23] 다음 우리말 뜻과 같도록 주어진 말을 사용하여 문장을 완성하세요.

21 그 아기는 지금 울고 있지 않다. (cry)

➡ The baby _____ _____ now.

22 너는 사진을 찍고 있니? (take)

➡ _____ _____ _____ pictures?

23 줄리는 내게 문자 메시지를 보내고 있었니? (Julie, send)

➡ _____ _____ _____ a text message to me?

[24 – 25] 주어진 말을 바르게 배열하여 문장을 쓰세요.

24 (climbing / the mountain now / they / are / .)

➡ _____

그들은 지금 산에 오르고 있다.

25 (catching fish / was / in the river / the boy / .)

➡ _____

그 남자아이는 강에서 물고기를 잡고 있었다.

WRAP UP

1 현재 진행 시제

❶ 현재 진행형은 「am/are/is+ ¹[_____]」의 형태이며 주어에 따라 be동사가 바뀐다.

❷ 현재 진행형의 부정문은 「주어+am/are/is+ ²[_____]+동사원형-ing ~.」로 쓰고, 의문문은 「 ³[_____] / ⁴[_____] / ⁵[_____]+주어+동사원형-ing ~?」로 쓴다.

2 과거 진행 시제

❶ 과거 진행형은 「 ¹[_____] / ²[_____]+동사원형-ing」의 형태로 쓴다.

❷ 과거 진행형의 부정문은 「주어+was/were+ ³[_____]+동사원형-ing ~.」로 쓰고, 의문문은 「Was/Were+주어+ ⁴[_____] ~?」로 쓴다.

Check Up 그림을 보고, 알맞은 말을 찾아 다음 대화의 빈칸에 쓰세요.

were   playing   was

REVIEW TEST 02

1 다음 중 밑줄 친 부분이 올바른 문장을 고르세요.

❶ He <u>will passes</u> the test.

❷ The train <u>won't leaves</u> soon.

❸ Jane <u>is going not to take</u> piano lessons.

❹ <u>Are they going to gets</u> up early tomorrow morning?

❺ <u>Will you visit</u> your uncle's house tomorrow?

[2-5] 다음 문장의 빈칸에 알맞은 말을 고르세요.

2

> Namho and I _____ a reading club.

❶ is going to join ❷ are going to joins ❸ is going to joins

❹ are going to join ❺ am going to join

3

> We _____ hard for the test.

❶ will studying ❷ will studies ❸ will study

❹ study will ❺ will studied

4

> My mother _____ breakfast in the kitchen.

❶ are cooking ❷ is cooking ❸ are cook

❹ cooking is ❺ do cooking

5

> They _____ a kite yesterday afternoon.

❶ fly ❷ flies ❸ is flying

❹ were flying ❺ didn't flying

6 다음 중 밑줄 친 부분이 <u>잘못된</u> 문장을 고르세요.

❶ My sister <u>is brushing</u> her teeth.

❷ He <u>was taking</u> a shower then.

❸ We <u>weren't listening</u> to music.

❹ <u>Was he writing</u> a letter?

❺ <u>Were they go</u> in-line skating?

[7-9] 다음 의문문에 대한 대답으로 알맞은 말을 고르세요.

7

Are you and your brother going to take skating lessons?

❶ Yes, I am.   ❷ No, I'm not.   ❸ Yes, we aren't.

❹ No, we are.   ❺ No, we aren't.

8

Will Brian come to your birthday party?

❶ Yes, will he.   ❷ No, will he not.   ❸ Yes, he will.

❹ No, he will.   ❺ Yes, he won't

9

Was a cat crying last night?

❶ Yes, it wasn't.   ❷ No, it was.   ❸ Yes, it did.

❹ No, it didn't.   ❺ Yes, it was.

10 다음 우리말 뜻과 같도록 괄호 안에서 알맞은 말을 고르세요.

나는 이번 주말에 하이킹하러 가지 않을 것이다.

➡ I'm (not going to go / going to not go) hiking this weekend.

[11 – 12] 다음 문장을 부정문으로 바꿔 쓸 때 빈칸에 알맞은 말을 고르세요.

11

> We will shop at the market. ➡ We _____ at the market.

❶ not will shop   ❷ will shop not   ❸ won't shop

❹ shop won't   ❺ don't will shop

12

> She was watering the flowers in the morning.
> ➡ She _____ the flowers in the morning.

❶ weren't watering   ❷ was watering not   ❸ not was watering

❹ wasn't watering   ❺ didn't watering

[13 – 15] 다음 대화의 빈칸에 들어갈 말이 순서대로 바르게 짝지어진 것을 고르세요.

13

> A: _____ she going to see the musical with us?
> B: Yes, she is. She _____ musicals.

❶ Is – doesn't love   ❷ Are – loves   ❸ Is – love

❹ Is – loves   ❺ Does – loves

14

> A: Will it be sunny tomorrow?
> B: _____, it _____. It will be cloudy tomorrow.

❶ Yes – will   ❷ No – won't   ❸ Yes – won't

❹ No – will   ❺ Yes – will not

15

> **A:** _____ you waiting for your friend?
> **B:** Yes, I _____ . She will be here soon.

❶ Are – do   ❷ Were – am   ❸ Is – am

❹ Do – am   ❺ Are – am

16 다음 문장의 밑줄 친 부분을 바르게 고쳐 빈칸에 쓰세요.

> Beautiful butterflies are ⓐ <u>sit</u> on the flowers.
> We are going to ⓑ <u>watches</u> them.

ⓐ _____   ⓑ _____

[17 – 18] 다음 우리말 뜻과 같도록 주어진 말을 사용하여 문장을 완성하세요.

17 나는 그때 전화 통화를 하고 있지 않았다. (talk)

➡ _____ _____ _____ on the phone then.

18 네 고양이는 침대에 누워 있었니? (lie)

➡ _____ your cat _____ on the bed?

[19 – 20] 주어진 말을 바르게 배열하여 문장을 쓰세요.

19 (a camera / I'm / bring / not going to / .)

➡ _____

나는 카메라를 가져오지 않을 것이다.

20 (dance / will / with me / you / ?)

➡ _____

너는 나와 춤을 출 거니?

조동사 (1)

며칠 전 아빠께서 기타를 사 오셨다.

우리 아빠는 기타를 잘 치실 수 있다.
이렇게 '~할 수 있다'라고 표현할 수 있게 해 주는 것이
바로 조동사 can이다.

My dad **can play** the guitar.

Can you play the guitar, please?

아빠, 기타 좀 쳐 주실래요?

can은 다른 사람에게 어떤 것을 해 달라고
요청할 때도 쓸 수 있지.

어? 친구들이 부른다.
아빠, 밖에 나가도 될까요?

Can I go out?

can은 '~해도 된다'라는 허가의
의미로도 쓰이니까.

조동사 can, 참 다양하게도 쓰인다. 기특한 can!

01 조동사의 쓰임

조동사는 can(~할 수 있다), will(~할 것이다)처럼 동사 앞에 쓰여 동사가 능력, 미래, 의무 등의 뜻을 가지도록 도와주는 말입니다.

Ⓐ 조동사+동사원형

조동사는 주어에 따라 형태가 변하지 않으며, 조동사 뒤에는 늘 동사원형을 씁니다.

I **play** the guitar. 나는 기타를 친다.

     I **can play** the guitar. 나는 기타를 칠 수 있다.

She **goes** to the concert. 그녀는 콘서트에 간다.

     She **will go** to the concert. 그녀는 콘서트에 갈 것이다.

Ⓑ 조동사의 부정문과 의문문

조동사의 부정문은 조동사 뒤에 not을 쓰고, 의문문은 조동사를 주어 앞으로 보내어 「조동사+주어+동사원형 ~?」으로 씁니다.

My father **can't(=cannot) ride** a roller coaster.
우리 아버지는 롤러코스터를 타지 못하신다.

I **won't(=will not) drink** too much soda.
나는 탄산음료를 너무 많이 마시지 않을 것이다.

Can you **drive** a car?　　　　　**Yes**, I **can**. / **No**, I **can't**.
너는 자동차를 운전할 수 있니?　　　응, 할 수 있어.　　아니, 못해.

Will James **join** the drama club?　**Yes**, he **will**. / **No**, he **won't**.
제임스가 연극부에 가입할까?　　　응, 그럴 거야.　　아니, 그러지 않을 거야.

Grammar Walk

정답 및 해설 21쪽

A 다음 문장의 괄호 안에서 알맞은 말을 골라 동그라미 하세요.

1 I (make can / <u>can make</u>) a sandwich.

2 My uncle (can speak / can speaks) Chinese.

3 The game (wills start / will start) at 2 o'clock.

4 She (cannot play / cannot plays) the flute.

5 We (can help not / can't help) you right now.

6 It (not will / will not) rain today.

7 They (won't / don't will) come back soon.

8 (Can they / Do they can) climb the tree?

9 Will (he wins / he win) the race?

조동사는 혼자 쓰일 수 없고, 항상 동사원형과 같이 써.

B 다음 대화의 빈칸에 알맞은 말을 골라 동그라미 하세요.

1 Can Nicole _____ taekwondo? / Yes, she can.   ❶ does   ❷ do

2 _____ go hiking with us? / No, they won't.   ❶ Do they will   ❷ Will they

3 Can you swim in the sea? / No, _____.   ❶ I can   ❷ I can't

4 Will you exercise at the gym? / Yes, _____.   ❶ I will   ❷ I won't

 WORDS · **flute** 플루트   · **right now** 지금은, 지금 당장   · **come back** 돌아오다   · **race** 경주, 달리기 (시합)   · **gym** 체육관

02 조동사 can

조동사 can은 동사에 '능력'이나 '허가', '요청'의 의미를 더해 줍니다.

A 능력/가능을 나타내는 can

can은 '~할 수 있다'라는 능력이나 가능을 표현할 때 사용하며, can 대신 be able to를 쓸 수 있습니다.

I **can skate** well. = I **am able to skate** well. 나는 스케이트를 잘 탈 수 있다.
Jinsu **can't(=cannot) swim**. = Jinsu **isn't(=is not) able to swim**. 진수는 수영을 못한다.
Can penguins **fly**? = **Are** penguins **able to fly**? 펭귄은 날 수 있니?

> ● can의 과거형은 could이며, could의 부정은 뒤에 not을 써서 could not 또는 couldn't로 나타냅니다.
> He **could go** hiking every weekend last year.
> 그는 작년에 주말마다 하이킹하러 갈 수 있었다.

B 허가를 나타내는 can

can은 '~해도 된다'라는 허가의 의미로도 쓰입니다.

You **can watch** TV now. 이제 TV를 봐도 된다.
Can I **use** your pen? **Yes**, you **can**. / **No**, you **can't**.
내가 네 펜을 써도 되니? 응, 돼. 아니, 안 돼.

C 요청을 나타내는 can

상대에게 무언가를 해 달라고 요청하거나 부탁할 때 「Can you+동사원형 ~?(~해 줄 수 있니?)」을 씁니다.

Can you close the door, please? OK. / Sorry, but I can't.
문을 닫아 줄 수 있니? 그래. 미안하지만, 그렇게 못해.

Grammar Walk

A 다음 문장 또는 대화의 괄호 안에서 알맞은 말을 골라 동그라미 하세요.

1 Cheetahs (is / (are)) able to run very fast.

2 Can Jack (fly / flies) a kite?

3 The child (don't / isn't) able to read a map.

4 They (could not / not could) see the cartoon yesterday.

5 You (can ride / ride can) my bike.

6 (Can I / Can you) use your stapler? / Sure. Here you are.

7 (Can I / Can you) bring me some water? / Sorry, but I can't.

can이 능력이나 가능의 의미일 때는 can 대신 be able to를 쓸 수 있어. 단, be able to는 주어에 따라 be동사의 모양이 바뀌어.

B 다음 문장에서 밑줄 친 부분의 알맞은 의미를 찾아 선으로 연결하세요.

1 I <u>can</u> solve this math problem.

2 <u>Can</u> I ask you a question?

3 <u>Can</u> you wait for me, please?

4 You <u>can</u> go home now.

5 The girl <u>is able to</u> ski.

6 <u>Can</u> you open the window, please?

a. ~할 수 있다(능력)

b. ~해도 된다(허가)

c. ~해 줄 수 있니?(요청)

d. ~해도 되니?(허가)

 WORDS   · **stapler** 스테이플러   · **bring** 가져오다   · **problem** 문제   · **ask** 묻다   · **wait for** ~를 기다리다

Grammar Run! ....

A 다음 문장을 괄호 안의 지시대로 바꿔 쓸 때 빈칸에 알맞은 말을 쓰세요.

1 My mother can drive a car. (부정문)

⇨ My mother __can't[cannot]__ __drive__ a car.

2 I can draw pictures well. (부정문)

⇨ I _____ _____ pictures well.

3 The boy can ride a skateboard. (부정문)

⇨ The boy _____ _____ a skateboard.

4 We could see the stars last night. (부정문)

⇨ We _____ _____ the stars last night.

5 I will call you tomorrow morning. (부정문)

⇨ I _____ _____ you tomorrow morning.

6 She will send me a letter. (부정문)

⇨ She _____ _____ me a letter.

7 You can play table tennis. (의문문)

⇨ _____ you _____ table tennis?

8 Minho's sister can make *gimchi*. (의문문)

⇨ _____ Minho's sister _____ *gimchi*?

9 They can speak Japanese. (의문문)

⇨ _____ they _____ Japanese?

10 The store will close at 10 o'clock. (의문문)

⇨ _____ the store _____ at 10 o'clock?

11 Tony will water the plants. (의문문)

⇨ _____ Tony _____ the plants?

12 It will be sunny tomorrow. (의문문)

⇨ _____ it _____ sunny tomorrow?

B 다음 문장에서 밑줄 친 부분의 뜻을 우리말로 쓰세요.

1 We <u>can go</u> sledding in winter. ➡ 우리는 겨울에 썰매를 타러 ___갈 수 있다___ .

2 She <u>can't find</u> her pencil case. ➡ 그녀는 자기 필통을 _____ .

3 <u>Can</u> they <u>climb</u> the mountain? ➡ 그들은 산에 _____ ?

4 Some birds <u>are able to speak</u>. ➡ 어떤 새들은 _____ .

5 The man <u>isn't able to ride</u> a horse. ➡ 그 남자는 말을 _____ .

6 <u>Are</u> you <u>able to bake</u> cookies? ➡ 너는 쿠키를 _____ ?

7 I <u>could remember</u> her name. ➡ 나는 그녀의 이름을 _____ .

8 I <u>could not win</u> the race yesterday. ➡ 나는 어제 그 경주에서 _____ .

9 You <u>can take a rest</u> now. ➡ 너는 이제 _____ .

10 You <u>can play</u> a computer game now. ➡ 너는 이제 컴퓨터 게임을 _____ .

11 <u>Can</u> I <u>borrow</u> your book? ➡ 내가 네 책을 _____ ?

12 <u>Can</u> I <u>drink</u> this soda? ➡ 내가 이 탄산음료를 _____ ?

13 <u>Can</u> you <u>give</u> me some water? ➡ 내게 물을 좀 _____ ?

14 <u>Can</u> you <u>feed</u> the bird, <u>please</u>? ➡ 그 새에게 _____ ?

15 <u>Can</u> you <u>carry</u> my bag, <u>please</u>? ➡ 제 가방을 _____ ?

WORDS · **sled** 썰매를 타다 · **find** 찾다, 발견하다 · **bake** 굽다 · **remember** 기억하다 · **borrow** 빌리다

Grammar Jump!

A 주어진 말을 사용하여 다음 문장을 완성하세요.

1 My father _____can fix_____ a car. (fix, can)
우리 아버지는 자동차를 고치실 수 있다.

2 Danny _____ the drums. (not, play, can)
대니는 드럼을 치지 못한다.

3 _____ they _____ the river? (cross, can)
그들은 강을 건널 수 있니?

4 I _____ Sally at the mall. (not, meet, could)
나는 쇼핑몰에서 샐리를 만나지 못했다.

5 The child _____ a bike. (ride, be able to)
그 아이는 자전거를 탈 수 있다.

6 An ostrich _____. (not, fly, be able to)
타조는 날지 못한다.

7 _____ she _____ golf? (play, be able to)
그녀는 골프를 칠 수 있니?

8 You _____ that backpack. (buy, can)
너는 저 배낭을 사도 된다.

9 You _____ my computer. (use, can)
너는 내 컴퓨터를 사용해도 된다.

10 _____ I _____ this shirt? (try on, can)
내가 이 셔츠를 입어 봐도 되니?

11 _____ you _____ shopping with me? (go, can)
나와 같이 쇼핑하러 가 줄 수 있니?

12 _____ you _____ my cat for me? (find, can)
나를 위해 내 고양이를 찾아 줄 수 있니?

WORDS · **fix** 고치다, 수리하다　· **cross** 건너다, 횡단하다　· **mall** 쇼핑몰　· **ostrich** 타조　· **try on** 입어[신어] 보다

B 다음 중 알맞은 말을 찾아 대화를 완성하세요. 중복해서 사용할 수 있어요.

are	can	drive	climb	tell	dive	make	is
watch	pass	pick	turn	eat	move	catch	

1 A: __Can__ you __climb__ the ladder?

너는 사다리를 올라갈 수 있니?

B: Yes, I can.

응, 할 수 있어.

2 A: _____ the children _____?

그 아이들은 잠수할 수 있니?

B: No, they can't.

아니, 못해.

3 A: _____ bears able to _____ fish?

곰들은 물고기를 잡을 수 있니?

B: Yes, they are.

응, 할 수 있어.

4 A: _____ he _____ that bookcase?

그는 저 책장을 옮길 수 있니?

B: No, he can't.

아니, 못해.

5 A: _____ your sister able to _____ pizza?

네 누나는 피자를 만들 수 있니?

B: No, she isn't.

아니, 못해.

6 A: _____ I _____ a cartoon?

내가 만화 영화를 봐도 되니?

B: Of course, you can.

물론, 돼.

7 A: _____ I _____ those apples?

내가 저 사과들을 따도 되니?

B: Sorry, but you can't.

미안하지만, 안 돼.

8 A: _____ I _____ some more bread?

내가 빵 좀 더 먹어도 되니?

B: Of course.

물론이야.

9 A: _____ you _____ me the fork?

내게 포크 좀 건네줄 수 있니?

B: Sure. Here you are.

물론이야. 여기 있어.

10 A: _____ you _____ me to school, please?

저를 학교까지 태워다 주실 수 있나요?

B: Sorry, but I can't.

미안하지만, 안 되겠다.

11 A: _____ you _____ off the light?

불을 꺼 줄 수 있니?

B: OK.

좋아.

12 A: _____ you _____ me your phone number?

내게 네 전화번호를 말해 줄 수 있니?

B: OK.

좋아

WORDS · **bookcase** 책장, 책꽂이 · **cartoon** 만화, 만화 영화 · **pick** 따다, 꺾다 · **drive** 태워다 주다 · **turn off** (전기 등을) 끄다

Grammar Fly!

A can과 will을 사용하여 다음 문장을 바꿔 쓰세요.

1 Susan cooks spaghetti. (can)

➡ _____Susan can cook spaghetti._____

2 My dog catches my ball. (can)

➡ _____

3 I open the bottle. (can)

➡ _____

4 We go jogging every morning. (will)

➡ _____

5 They take a walk. (will)

➡ _____

6 James is fifteen years old. (will)

➡ _____

7 He doesn't finish his homework today. (can 부정문)

➡ _____

8 Dogs don't climb trees. (can 부정문)

➡ _____

9 I don't take swimming lessons. (will 부정문)

➡ _____

10 Do you play volleyball? (can 의문문)

➡ _____

11 Does the boy read Japanese? (can 의문문)

➡ _____

12 Do they visit their grandparents? (will 의문문)

➡ _____

 · **catch** 잡다. 받다 · **open a bottle** 병을 따다 · **go jogging** 조깅하러 가다 · **finish** 끝마치다 · **volleyball** 배구

B 주어진 말을 바르게 배열하여 문장을 쓰세요.

1 (she / in English / write a diary / can / .) 그녀는 영어로 일기를 쓸 수 있다.

➡ ___She can write a diary in English.___

2 (find my gloves / I / can't / .) 나는 내 장갑을 찾을 수가 없다.

➡ _____

3 (we / can / to the zoo / take the subway / ?) 우리는 지하철을 타고 동물원에 갈 수 있니?

➡ _____

4 (the robots / talk / are able to / .) 그 로봇들은 말할 수 있다.

➡ _____

5 (isn't / the baby / walk / able to / .) 그 아기는 걷지 못한다.

➡ _____

6 (your grandfather / is / use the Internet / able to / ?) 네 할아버지는 인터넷을 사용할 줄 아시니?

➡ _____

7 (watch a horror movie / you / can / tonight / .) 너는 오늘 밤에 공포 영화를 봐도 된다.

➡ _____

8 (on the sofa / you / put your bag / can / .) 너는 네 가방을 소파 위에 놓아도 된다.

➡ _____

9 (come later / I / can / ?) 내가 나중에 와도 되니?

➡ _____

10 (borrow your book / I / can / ?) 내가 네 책을 빌려도 되니?

➡ _____

11 (to City Hall / you / tell me the way / can / ?) 내게 시청으로 가는 길을 말해 줄 수 있니?

➡ _____

12 (you / can / the TV / turn on / ?) TV를 켜 줄 수 있니?

➡ _____

WORDS · **subway** 지하철　　· **horror movie** 공포 영화　　· **put** 놓다, 두다　　· **later** 나중에, 후에　　· **way** 길, 방법

조동사 (1) **107**

Grammar & Writing

A 상황 묘사하기 다음 그림을 보고, **Can you ~?**를 사용하여 부탁하는 문장을 써 보세요.

1
(move this desk)
Can you move this desk?

2
(open the window)

3
(give me some food, please)

4
(pass me the towel)

5
(find my dog, please)

6
(play badminton with me)

 WORDS · **move** 옮기다, 움직이다 · **give** 주다 · **pass** 건네주다 · **towel** 수건, 타월 · **with** ~와 함께

B 표 해석하기 다음은 할 수 있는 것과 할 수 없는 것을 정리한 표입니다. 표를 보고, 대화를 완성해 보세요.

	can	cannot
Mina	play the flute	play the guitar
Mina's father	fix a bicycle	fix a computer
Mina's mother	speak Chinese	speak French
ostriches	run fast	fly
elephants	pick fruit	climb a tree

1 **Q:** Can Mina _play the flute_ ?

　　A: Yes, she can. But she _can't[cannot]_ play the guitar.

2 **Q:** Can Mina's father fix a computer?

　　A: _____, he _____. But he can _____.

3 **Q:** Can Mina's mother _____ ?

　　A: Yes, she can. But she _____ speak French.

4 **Q:** Can ostriches _____ ?

　　A: No, they can't. But they _____.

5 **Q:** Can elephants pick fruit?

　　A: _____, they _____. But they can't _____.

WORDS　·**flute** 플루트　·**Chinese** 중국어　·**French** 프랑스 어　·**fruit** 과일　·**climb** 오르다, 올라가다

UNIT TEST 05

1 다음 중 밑줄 친 부분이 잘못된 문장을 고르세요.

❶ She can <u>play</u> the violin.　　❷ My dog can <u>catch</u> my ball.

❸ We will <u>go</u> to the gallery.　　❹ Tom is able to <u>ride</u> a skateboard.

❺ Molly can <u>makes</u> a sandwich.

[2-3] 다음 두 문장이 같은 뜻이 되도록 빈칸에 알맞은 말을 고르세요.

2

| Monkeys can climb trees. = Monkeys _____ climb trees. |

❶ is able to　　　　❷ do able to　　　　❸ are able to

❹ able are to　　　　❺ are going to

3

| She cannot draw a picture well. = She _____ draw a picture well. |

❶ is able not to　　　❷ aren't able to　　　❸ isn't able to

❹ is able to not　　　❺ doesn't able to

[4-6] 다음 문장을 괄호 안의 지시대로 바꿔 쓸 때 빈칸에 알맞은 말을 고르세요.

4

| They are able to carry the heavy bookcase. (의문문)
➡ _____ carry the heavy bookcase? |

❶ Are able they to　　❷ Do they able to　　❸ Are able to they

❹ Are they able to　　❺ Do they are able to

5

| He can play table tennis. (의문문) ➡ _____ table tennis? |

❶ Can he plays　　　❷ Can play he　　　❸ Does he can play

❹ Is he can play　　　❺ Can he play

6

The girl can read an English storybook. (부정문)
➡ The girl _____ an English storybook.

❶ can't read   ❷ can read not   ❸ cannot reads

❹ not can read   ❺ don't can read

[7–8] 다음 의문문에 대한 대답으로 알맞은 말을 고르세요.

7

Can you open the bottle?

❶ No, I can.   ❷ Yes, I can't.   ❸ No, I can't.

❹ No, not can.   ❺ Yes, I cans.

8

Is Ann able to speak Korean?

❶ Yes, she is.   ❷ No, she is.   ❸ Yes, she does.

❹ No, she doesn't.   ❺ Yes, she can't.

[9–10] 다음 대화의 빈칸에 알맞은 말을 고르세요.

9

A: _____ use your eraser?   B: Sure. Here you are.

❶ Can I   ❷ Can you   ❸ You can

❹ Will you   ❺ Are you able to

10

A: _____ give me some fruit?   B: Sorry, but I can't.

❶ Can they   ❷ Can I   ❸ Will I

❹ Can you   ❺ Do you

11 다음 문장의 빈칸에 알맞은 말을 고르세요.

> I _____ meet Sarah yesterday. But I can meet her today.

❶ cannot   ❷ could not   ❸ not could

❹ didn't could   ❺ don't

12 다음 중 짝지어진 대화가 <u>어색한</u> 것을 고르세요.

❶ **A:** Can you ski?   **B:** No, I can't.

❷ **A:** Will she call me later?   **B:** Yes, she will.

❸ **A:** Is he able to dive well?   **B:** No, he isn't.

❹ **A:** Can I borrow your comic book?   **B:** Yes, I can.

❺ **A:** Can you open the door?   **B:** Of course.

[13-14] 다음 밑줄 친 부분이 주어진 의미로 쓰인 것을 고르세요.

13

> ~해도 되다 (허가)

❶ You <u>are able to</u> sing well.   ❷ He <u>can</u> run very fast.

❸ You <u>can</u> sit here.   ❹ You <u>can't</u> swim there.

❺ She <u>can</u> solve the math problem easily.

14

> ~해 줄 수 있니? (요청)

❶ <u>Are</u> you <u>able to</u> do yoga?   ❷ <u>Will</u> he go hiking with us?

❸ <u>Can</u> you ride a horse well?   ❹ <u>Can</u> she speak Chinese?

❺ <u>Can</u> you turn on the light?

[15 – 17] 다음 우리말 뜻과 같도록 빈칸에 들어갈 말이 순서대로 바르게 짝지어진 것을 고르세요.

15

> My mother _____ swim. She _____ take swimming lessons.
> 우리 어머니는 수영을 못하신다. 어머니는 수영 강습을 받으실 것이다.

❶ can – will   ❷ will – can   ❸ can't – will

❹ is able to – will   ❺ can't – won't

16

> It's _____ in here. _____ you close the window?
> 여기 이 안은 춥다. 창문 좀 닫아 줄 수 있니?

❶ hot – Can   ❷ cold – Do   ❸ not cold – Will

❹ warm – Can   ❺ cold – Can

17

> I'm _____. Can _____ have some water?
> 나는 목이 마르다. 내가 물 좀 마셔도 되니?

❶ thirsty – I   ❷ thirsty – you   ❸ not thirsty – I

❹ hungry – I   ❺ hungry – you

[18 – 19] 다음 대화의 빈칸에 알맞은 말을 쓰세요.

18

> **A:** Can the girl read a map?
> **B:** Yes, _____ _____.

19

> **A:** Brian, are you able to do taekwondo?
> **B:** No, _____ _____.

[20 – 23] 다음 우리말 뜻과 같도록 주어진 말을 사용하여 문장을 완성하세요.

20 나는 그녀의 이름을 기억하지 못한다. (remember)

➡ I _____ _____ her name.

21 그들은 주말마다 스케이트를 타러 갈 수 있었다. (go)

➡ They _____ _____ skating every weekend.

22 우리는 그 농구 시합에서 이길 수 있다. (win)

➡ We _____ _____ the basketball game.

23 너는 이제 만화 영화를 봐도 된다. (watch)

➡ You _____ _____ a cartoon now.

[24 – 25] 주어진 말을 바르게 배열하여 문장을 쓰세요.

24 (you / your phone number / can / tell me / ?)

➡ _____

내게 네 전화번호를 말해 줄 수 있니?

25 (I / with you / study science / can / ?)

➡ _____

내가 너와 함께 과학을 공부해도 되니?

1 조동사의 쓰임

❶ 「조동사+ 1 [   ]」으로 동사에 능력, 미래, 의무 등의 뜻을 더해 준다.

❷ 조동사의 부정문은 「조동사+ 2 [   ]+동사원형」을 쓰고, 의문문은
  「3 [   ]+주어+동사원형 ~?」으로 쓴다.

2 조동사 can

능력	~할 수 있다(=be able to)	I **can play** the flute. 나는 플루트를 불 수 있다.
허가	1 [ ]	You **can use** my glue. 너는 내 풀을 사용해도 된다.
요청	2 [ ] (Can you ~?)	**Can you open** the door? 문을 열어 줄 수 있니?

Check Up 그림을 보고, 알맞은 말을 찾아 다음 대화의 빈칸에 쓰세요.

> you   can   couldn't

함께 영화를 보자는 민지.
먼저 엄마께 허락을 받아야지.

엄마, 저 영화 보러 가도 될까요?
허락을 받을 때는 조동사 may를 쓸 수 있다.

서둘러! 우리 영화 시간에 늦을지도 몰라.
'~할지도 모른다'라고 추측하는 표현도 조동사 may로 할 수 있다.

We **must turn off** our cell phones.

영화를 볼 때는 휴대 전화를 꺼야 해.
이렇게 '~해야 한다'라고 의무를 말할 때
조동사 must를 쓴다.

영화가 끝났다. 무척 슬픈 영화였다.
어, 저 애가 누구더라? 저 앤 수호가 틀림없어.

He **must be** Suho.

이처럼 조동사 must는
'~임이 틀림없다'라고
강한 확신이 들 때도 쓸 수 있지.

그나저나 수호, 울었나?

01 조동사 may

조동사 may는 동사에 '허가' 또는 '추측'의 뜻을 더해 줍니다.

A 허가를 나타내는 may

may는 '~해도 된다[좋다]'라는 허가의 뜻이며, may not으로 쓰면 '~해서는 안 된다'라는
금지의 뜻입니다.
'제가 ~해도 될까요?'라는 뜻으로 상대방의 허락을 구할 때는 「May I + 동사원형 ~?」으로 씁니다.

You **may go** out now. 너는 이제 밖에 나가도 된다.

You **may not use** my cell phone. 너는 내 휴대 전화를 사용해서는 안 된다.

May I buy this book?
제가 이 책을 사도 될까요?

Yes, you **may**. / **No**, you **may not**.
응, 그래도 돼. / 아니, 그러면 안 돼.

May I borrow your umbrella?
제가 당신의 우산을 빌려도 될까요?

Sure. / I'm sorry, but you may not.
물론이에요. / 미안하지만, 안 돼요.

◉ May I ~?는 Can I ~?보다 공손한 표현입니다.

B 추측을 나타내는 may

'~일지[할지]도 모른다, ~일 수도 있다'라고 추측할 때도 may를 씁니다.
may not으로 쓰면 '~이지[하지] 않을지도 모른다'라는 뜻이 됩니다.

It **may snow** this Christmas. 이번 크리스마스에는 눈이 내릴지도 모른다.

She **may come** to my birthday party. 그녀는 내 생일 파티에 올지도 모른다.

The children **may be** in the playground. 그 아이들은 놀이터에 있을지도 모른다.

Harry **may not answer** my e-mail. 해리는 내 이메일에 답장하지 않을지도 모른다.

He **may not be** in the yard. 그는 마당에 있지 않을지도 모른다.

Grammar Walk

정답 및 해설 25쪽

A 다음 문장의 괄호 안에서 알맞은 말을 골라 동그라미 하세요.

1 You (may plays / may play) a computer game now.

2 You (not may / may not) sleep more.

3 (May I / May you) sit here? / Yes, you may.

4 May I use your pencil sharpener? / No, you (not may / may not).

5 It (may rain / mays rain) this afternoon.

6 She may (not know / not knows) my name.

> may도 can처럼 주어에 따라 모양이 변하지 않고, 그 뒤에는 늘 동사원형이 와.

B 다음 문장에서 밑줄 친 부분의 알맞은 뜻을 찾아 선으로 연결하세요.

1 You <u>may not</u> like the color.

2 <u>May</u> I have some water?

3 You <u>may</u> watch a cartoon on TV.

4 You <u>may not</u> touch the dog.

5 The child <u>may</u> be hungry.

6 It <u>may not</u> snow today.

a. ~할지도 모른다

b. ~해도 된다

c. ~하지 않을지도 모른다

d. ~해서는 안 된다

e. ~해도 될까요?

WORDS · **more** 더 (많이) · **here** 여기에 · **cartoon** 만화, 만화 영화 · **touch** 만지다, 건드리다

02 조동사 must와 have to

조동사 must는 동사에 '의무' 또는 '강한 추측'의 의미를 더해 주며, '의무'의 뜻일 때는 must 대신 have to를 쓸 수 있습니다.

A 의무를 나타내는 must

must는 '~해야 한다'라는 뜻으로 의무를 나타내며, must not은 '~해서는 안 된다'라는 뜻으로 금지를 나타냅니다.

I **must finish** my homework. 나는 숙제를 끝마쳐야 한다.
We **mustn't(=must not) run** in the hall. 우리는 복도에서 뛰면 안 된다.

B 의무를 나타내는 have to

'~해야 한다'라는 의무를 표현할 때 must 대신 have[has] to를 쓸 수 있습니다.
「don't[doesn't] have to+동사원형」은 '~할 필요가 없다, ~하지 않아도 된다'라는 뜻입니다.

I **have to clean** my room. 나는 내 방을 청소해야 한다.
My sister **has to water** the flowers. 내 여동생은 꽃에 물을 주어야 한다.
We **don't have to wear** school uniforms today. 우리는 오늘 교복을 입을 필요가 없다.

⊚ 과거 시제는 had to(~해야 했다), 미래 시제는 will have to(~해야 할 것이다)로 씁니다.

C 강한 추측을 나타내는 must

must는 '~임이 틀림없다, 틀림없이 ~일 것이다'라는 뜻으로 강한 추측이나 확신을 나타내기도 합니다.

She **must be** sleepy now. 그녀는 지금 틀림없이 졸릴 것이다.
That boy **must be** Grace's brother. 저 남자아이는 틀림없이 그레이스의 남동생일 것이다.

Grammar Walk

정답 및 해설 25~26쪽

A 다음 문장의 괄호 안에서 알맞은 말을 골라 동그라미 하세요.

1 Nancy (must / musts) study math now.

2 You (must not / not must) jump in the classroom.

3 You have to (wear / wearing) a helmet.

4 He (don't have to / doesn't have to) buy a new bag.

5 We (don't have to / doesn't have to) go to school today.

6 They (must are / must be) thirsty.

7 He (musts / must) be at home.

8 She must (likes / like) that color.

have to는 주어가 3인칭 단수일 때 has to를 쓴다는 것에 주의해야 해.

must not은 '~하면 안 된다'라는 금지의 뜻이지만, don't[doesn't] have to는 '~할 필요가 없다'라는 뜻이야.

B 다음 문장에서 밑줄 친 부분의 알맞은 뜻을 찾아 선으로 연결하세요.

1 You <u>must not</u> sit on the chair.

2 She <u>doesn't have to</u> be quiet.

3 I <u>must</u> make my bed.

4 We <u>don't have to</u> hurry.

5 I <u>must not</u> be late for school.

6 Sorry. You <u>must</u> have the wrong number.

- a. ~해야 한다
- b. ~임이 틀림없다
- c. ~해서는 안 된다
- d. ~할 필요가 없다

WORDS
· **wear** 입고[쓰고] 있다 · **make one's bed** 침대를 정리하다 · **hurry** 서두르다 · **wrong number** 잘못된 전화번호

Grammar Run! ....

A 다음 문장의 밑줄 친 부분에 해당하는 우리말 뜻을 골라 동그라미 하세요.

1 You <u>may not go</u> to the concert today.
  ❶ 가면 안 된다   ❷ 갈지도 모른다

2 <u>May</u> I <u>ask</u> you a question?
  ❶ 물어야 할까요?   ❷ 물어도 될까요?

3 You <u>may use</u> my phone.
  ❶ 사용해야 한다   ❷ 사용해도 된다

4 She <u>may not like</u> this flower.
  ❶ 좋아할 필요가 없다   ❷ 좋아하지 않을지도 모른다

5 It <u>may be sunny</u> tomorrow.
  ❶ 화창할지도 모른다   ❷ 틀림없이 화창하다

6 The news <u>may be true</u>.
  ❶ 사실일지도 모른다   ❷ 틀림없이 사실이다

7 He <u>must wash</u> the window.
  ❶ 닦아야 한다   ❷ 닦을지도 모른다

8 We <u>must not touch</u> the pictures.
  ❶ 만지지 않을 수도 있다   ❷ 만지면 안 된다

9 I <u>have to comb</u> my hair.
  ❶ 빗어야 한다   ❷ 빗어도 된다

10 Jinsu <u>doesn't have to bring</u> a camera.
  ❶ 가져오지 말아야 한다   ❷ 가져올 필요가 없다

11 This pencil case <u>must be</u> Jimin's.
  ❶ 지민이의 것일지도 모른다   ❷ 지민이의 것이 틀림없다

12 Mary <u>must be</u> sick.
  ❶ 아플지도 모른다   ❷ 아픈 것이 틀림없다

> may는 '~일지도 모른다'라는 약한 추측, must는 '~임이 틀림없다'라는 강한 추측을 나타내.

B 다음 중 알맞은 말을 찾아 문장을 완성하세요. 중복해서 사용할 수 있어요.

| may | may not | doesn't have to | have to | must | must not |

1 You ___may___ go out and play.
너는 밖에 나가서 놀아도 된다.

2 You _____ play with my dog.
너는 내 개와 놀아도 된다.

3 _____ I try on this jacket?
제가 이 재킷을 입어 봐도 될까요?

4 Jerry _____ call me tonight.
제리는 오늘 밤에 내게 전화할지도 모른다.

5 It _____ _____ be hot tomorrow.
내일은 덥지 않을지도 모른다.

6 I _____ come home early today.
나는 오늘 집에 일찍 와야 한다.

7 You _____ _____ enter the room.
너는 그 방에 들어가면 안 된다.

8 You _____ _____ pick the flowers.
너는 그 꽃을 꺾으면 안 된다.

9 You _____ _____ dry your hair.
너는 머리를 말려야 한다.

10 He _____ _____ _____ take a bus.
그는 버스를 탈 필요가 없다.

11 She _____ be a new student.
그녀는 틀림없이 새로 온 학생일 것이다.

12 Kelly _____ like music. She always listens to music.
켈리는 틀림없이 음악을 좋아한다. 그녀는 항상 음악을 듣는다.

허락을 나타내는 may 뒤에 not이 붙어 may not이 되면 '~해서는 안 된다'라는 뜻이야. must not처럼 금지의 의미가 포함되어 있어.

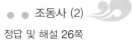

WORDS　·**try on** 입어[신어] 보다　·**enter** 들어가다[오다]　·**pick** 꺾다, 따다　·**dry** 말리다　·**always** 항상

Grammar Jump!

A 주어진 말을 바르게 배열하여 다음 문장을 완성하세요.

1 You ___may___ ___drink___ this juice. (drink / may)

2 You _____ _____ shopping with me. (go / may)

3 _____ I _____ a message? (leave / may)

4 You _____ _____ _____ the piano at night. (not / play / may)

5 My parents _____ _____ a walk. (take / may)

6 I _____ _____ wrong. (be / may)

7 My grandmother _____ _____ us tomorrow. (visit / may)

8 She _____ _____ _____ my address. (not / remember / may)

9 You _____ _____ the light. (turn off / must)

10 We _____ _____ a lie. (not / tell / must)

11 Mary _____ _____ her mom now. (help / has to)

12 You _____ _____ _____ your hat. (don't / bring / have to)

13 They _____ _____ at the mall. (be / must)

14 The girl was his classmate. He _____ _____ her. (know / must)

15 Paul _____ _____ busy now. (be / must)

 WORDS   · **leave** ~을 남기다   · **wrong** 틀린, 잘못된   · **remember** 기억하다   · **tell a lie** 거짓말하다   · **turn off** ~을 끄다

B 주어진 말을 사용하여 다음 문장을 완성하세요.

1 You _____may_____ _____ride_____ my bike. (ride)
너는 내 자전거를 타도 된다.

2 _____ I _____ _____ this coat? (try on)
제가 이 외투를 입어 봐도 될까요?

3 You _____ _____ _____ sledding. (go)
너는 썰매를 타러 가서는 안 된다.

4 We _____ _____ spaghetti for lunch. (have)
우리는 점심 식사로 스파게티를 먹을지도 모른다.

5 We _____ _____ late for the movie. (be)
우리는 영화 시간에 늦을지도 모른다.

6 They _____ _____ _____ Peter's cookies. (like)
그들은 피터의 쿠키를 좋아하지 않을지도 모른다.

7 I _____ _____ home before dark. (come)
나는 어두워지기 전에 집에 와야 한다.

8 We _____ _____ _____ in this lake. (swim)
우리는 이 호수에서 수영하면 안 된다.

9 He _____ _____ _____ some notebooks. (buy)
그는 공책 몇 권을 사야 한다.

10 I _____ _____ _____ _____ up early today. (get)
나는 오늘 일찍 일어날 필요가 없다.

11 You _____ _____ _____ her. (call)
너는 그녀에게 전화할 필요가 없다.

12 Sora _____ _____ _____ medicine. (take)
소라는 약을 먹을 필요가 없다.

13 You _____ _____ the answer. (know)
너는 틀림없이 답을 알고 있다.

14 He _____ _____ a soccer player. (be)
그는 축구 선수임이 틀림없다.

15 Julie sings very well. She _____ _____ the singing contest. (win)
줄리는 노래를 아주 잘한다. 그녀는 틀림없이 노래 대회에서 우승할 것이다.

WORDS · **go sledding** 썰매를 타러 가다 · **before dark** 어두워지기 전에 · **win** 이기다 · **contest** 대회

Grammar Fly! · · · · · · · · · ·

A 다음 우리말 뜻과 같도록 괄호 안에 주어진 말을 사용하여 문장을 쓰세요.

1 너는 내 지우개를 사용해도 된다. (use my eraser, may)
➡ _____You may use my eraser._____

2 제가 지금 당신에게 이야기해도 될까요? (talk to you now, may)
➡ _____

3 너는 탁자에 앉아서는 안 된다. (sit on the table, may)
➡ _____

4 그는 네 도움이 필요할지도 모른다. (need your help, may)
➡ _____

5 그녀는 캐나다 출신이 아닐지도 모른다. (be from Canada, may)
➡ _____

6 우리는 이번 주말에 섬에 갈지도 모른다. (go to the island this weekend, may)
➡ _____

7 그들은 그 시험을 통과해야 한다. (pass the exam, must)
➡ _____

8 우리는 여기에서 떠들면 안 된다. (make noise here, must)
➡ _____

9 너는 줄을 서야 한다. (stand in line, have to)
➡ _____

10 나는 오늘 마당을 청소할 필요가 없다. (clean the yard today, have to)
➡ _____

11 밖은 틀림없이 추울 것이다. (be cold outside, must)
➡ _____

12 네 고양이는 침대 밑에 있는 것이 틀림없다. (be under the bed, must)
➡ _____

WORDS · **talk to** ~에게 말하다   · **pass** 통과하다, 합격하다   · **make noise** 떠들다   · **stand in line** 일렬로 나란히 서다

B 주어진 말을 바르게 배열하여 문장을 쓰세요.

1 (may / in 30 minutes / you / go home / .) 너는 30분 후에 집에 가도 된다.

→ You may go home in 30 minutes.

2 (my CDs / you / listen to / may / .) 너는 내 시디를 들어도 된다.

→ _____

3 (go to the bathroom / I / may / ?) 제가 욕실에 가도 될까요?

→ _____

4 (my family / travel / next month / may / .) 우리 가족은 다음 달에 여행을 갈지도 모른다.

→ _____

5 (she / at her friend's house / be / may / .) 그녀는 자기 친구 집에 있을지도 모른다.

→ _____

6 (Mike / go to the dentist / may not / tomorrow / .) 마이크는 내일 치과에 가지 않을지도 모른다.

→ _____

7 (must / we / in the library / be quiet / .) 우리는 도서관에서 조용히 해야 한다.

→ _____

8 (wear a seat belt / must / we / .) 우리는 안전띠를 매야 한다.

→ _____

9 (don't / answer the e-mail / I / have to / .) 나는 그 이메일에 답장할 필요가 없다.

→ _____

10 (my father / wash the dishes / has to / today / .) 우리 아버지는 오늘 설거지를 하셔야 한다.

→ _____

11 (must be / the book / interesting / .) 그 책은 틀림없이 재미있을 것이다.

→ _____

12 (they / good teachers / must / be / .) 그들은 틀림없이 좋은 선생님들이시다.

→ _____

WORDS · in ~ 후에   · minute 분   · travel 여행하다   · go to the dentist 치과에 가다   · seat belt 안전띠, 안전벨트

Grammar & Writing

A 　상황 묘사하기　그림을 보고, May I ~?를 사용하여 허락을 구하는 문장을 써 보세요.

1

(speak to Junho)

A: _____May I speak to Junho?_____

B: Speaking.

2

(go to the concert)

A: _____

B: Yes, you may.

3

(have these bananas)

A: _____

B: Sure.

4

(help you)

A: _____

B: Yes. I'm looking for a cap.

5

(buy this skirt)

A: _____

B: OK. It looks nice.

 WORDS · **May I speak to ~?** ~와 통화할 수 있을까요? 　· **look for** ~을 찾다, 구하다 　· **look** ~처럼[해] 보이다

128 Unit 06

B 정보 활용하기 준호와 친구들이 학교에서 지켜야 할 규칙을 정해 게시판을 꾸몄어요. 게시판을 보고 **must**를 사용하여 다음 문장을 완성하세요.

1 We ___must not[mustn't] be late___ for school.

2 We _____ in class.

3 We _____ .

1 We _____ in class.

2 We _____ in class.

3 We _____ .

WORDS · **rule** 규칙, 원칙 · **chew gum** 껌을 씹다 · **in class** 수업 중에 · **stairs** 계단 · **cell phone** 휴대 전화

UNIT TEST 06

[1-2] 다음 중 밑줄 친 부분이 잘못된 문장을 고르세요.

1
❶ We <u>may be</u> late for the concert.　❷ You <u>have to feed</u> the bird.

❸ I <u>must arrive</u> on time.　❹ The child <u>have to brush</u> his teeth.

❺ They <u>may need</u> some food.

2
❶ We <u>don't have to hurry</u>.　❷ I <u>can't play</u> basketball.

❸ You <u>may touch not</u> the paintings.　❹ You <u>must not run</u> in the classroom.

❺ She <u>doesn't have to wear</u> a uniform today.

[3-4] 다음 두 문장이 같은 뜻이 되도록 빈칸에 알맞은 말을 고르세요.

3

> Brian must finish his homework.
> = Brian _____ finish his homework.

❶ can　　　　❷ will　　　　❸ may

❹ does　　　❺ has to

4

> You can use my cell phone. = You _____ use my cell phone.

❶ will　　　　❷ must　　　　❸ may

❹ are going to　❺ have to

5 다음 중 올바른 문장을 고르세요.

❶ The boy must is hungry.　❷ We must pick not the apples.

❸ May I take a rest now?　❹ He don't have to get up early tomorrow.

❺ Jane may not knows my e-mail address.

[6-8] 다음 문장을 부정문으로 바꿔 쓸 때 빈칸에 알맞은 말을 고르세요.

6

> You may play with the dog. ➡ You _____ with the dog.

❶ not may play   ❷ may not play   ❸ don't may play

❹ may play not   ❺ may don't play

7

> You must turn off the light. ➡ You _____ turn off the light.

❶ must not   ❷ not must   ❸ don't must

❹ didn't must   ❺ weren't must

8

> My father has to fix the car. ➡ My father _____ fix the car.

❶ has not to   ❷ don't have to   ❸ has doesn't to

❹ doesn't have to   ❺ has to not

[9-11] 다음 대화의 빈칸에 알맞은 말을 고르세요.

9

> **A:** _____ sit on the chair? 제가 그 의자에 앉아도 될까요?
> **B:** Yes, you may. 네, 그렇게 하세요.

❶ Will I   ❷ Can you   ❸ May I

❹ Do I   ❺ May you

10

> **A:** I can't find my brother. 나는 내 남동생을 찾을 수가 없다.
> **B:** He _____ be at the playground. 그는 놀이터에 있을지도 모른다.

❶ will   ❷ may   ❸ can't   ❹ mustn't   ❺ has to

11

> **A:** Laura walks her dog every day. 로라는 매일 자기 개를 산책시킨다.
>
> **B:** She _____ love her dog. 그녀는 자기 개를 아주 좋아하는 것이 틀림없다.

❶ must   ❷ will   ❸ can

❹ may   ❺ can't

[12 – 13] 다음 문장의 밑줄 친 부분과 같은 의미로 쓰인 것을 고르세요.

12

> Jane was looking for her bag. That bag <u>must</u> be hers.

❶ You <u>must</u> clean your room.   ❷ We <u>must</u> be quiet here.

❸ You <u>must</u> come home before dark.   ❹ You <u>must</u> brush your teeth.

❺ He <u>must</u> be sleepy.

13

> It <u>may</u> be cold tomorrow.

❶ You <u>may</u> buy that jacket.   ❷ I <u>may</u> be wrong.

❸ <u>May</u> I use your eraser?   ❹ You <u>may</u> borrow my book.

❺ <u>May</u> I watch TV now?

14 다음 중 짝지어진 대화가 <u>어색한</u> 것을 고르세요.

❶ **A:** May I try on this shirt?   **B:** Sure.

❷ **A:** May I help you?   **B:** Yes. I'm looking for a T-shirt.

❸ **A:** May I study English with you?   **B:** Sorry, but you may.

❹ **A:** May I have some water?   **B:** OK. Here you are.

❺ **A:** May I go home now?   **B:** Yes, you may.

[15-16] 다음 문장의 빈칸에 공통으로 알맞은 말을 고르세요.

15

> • It _____ rain this afternoon. 오늘 오후에 비가 올지도 모른다.
> • You _____ have this pizza. 너는 이 피자를 먹어도 된다.

❶ can ❷ will ❸ must

❹ may ❺ have to

16

> • Jane _____ be sick today. 제인은 오늘 아픈 것이 틀림없다.
> • You _____ wash your hands first. 넌 먼저 손을 씻어야 한다.

❶ may ❷ can ❸ must

❹ has to ❺ will

17 다음 빈칸에 들어갈 말이 순서대로 바르게 짝지어진 것을 고르세요.

> • My father _____ work this Sunday. 우리 아버지는 이번 일요일에 일하셔야 한다.
> • You _____ tell a lie. 너는 거짓말을 하면 안 된다.

❶ has to – must not ❷ has to – can ❸ must – may

❹ can – may not ❺ doesn't have to – mustn't

[18-19] 다음 우리말 뜻과 같도록 빈칸에 알맞은 말을 쓰세요.

18 하라는 내 전화번호를 기억하고 있지 않을지도 모른다.

➡ Hara _____ _____ remember my phone number.

19 우리는 줄을 서야 한다.

➡ We _____ _____ stand in line.

정답 및 해설 27~28쪽

[20 - 23] 우리말 뜻과 같도록 조동사와 함께 주어진 말을 사용하여 문장을 완성하세요.

20 너는 지금 길을 건너면 안 된다. (cross)

➡ You _____ _____ _____ the street now.

21 나는 음악 축제에서 그 가수를 볼지도 모른다. (see)

➡ I _____ _____ the singer at the music festival.

22 너는 집에서 네 엄마를 도와 드려야 한다. (help)

➡ You _____ _____ _____ your mom at home.

23 그는 틀림없이 힘이 센 남자일 것이다. (be)

➡ He _____ _____ a strong man.

[24 - 25] 주어진 말을 바르게 배열하여 문장을 쓰세요.

24 (I / make a snowman / may / ?)

➡ _____

제가 눈사람을 만들어도 될까요?

25 (water the plants / Sam / today / doesn't have to / .)

➡ _____

샘은 오늘 식물에 물을 줄 필요가 없다.

1 조동사 may

❶ may는 '[1]_____'라는 허가의 뜻이며, [2]_____ [3]_____은 '~해서는 안 된다'라는 금지의 뜻이다. 「[4]_____ I+동사원형 ~?」은 '제가 ~해도 될까요?'라는 뜻이다.

❷ may는 '~일지[할지]도 모른다, ~일 수도 있다'라고 [5]_____할 때도 사용한다.

2 조동사 must와 have to

❶ must는 '[1]_____'라는 뜻으로 의무를 나타내며, must not은 '[2]_____'라는 뜻으로 금지를 나타낸다.

❷ '~해야 한다'라는 의무를 나타낼 때 must 대신 have/[3]_____to를 쓸 수 있다. have[has] to의 부정형인 「[4]_____/doesn't have to+동사원형」은 '~할 필요가 없다'라는 뜻이다.

❸ must는 '[5]_____'라는 뜻으로 강한 추측을 나타낼 때 쓰기도 한다.

Check Up 그림을 보고, 알맞은 말을 찾아 다음 대화의 빈칸에 쓰세요.

must   may   have   not

REVIEW TEST 03

[1-2] 다음 중 밑줄 친 부분이 잘못된 문장을 고르세요.

1 ❶ I <u>can skate</u> well.　　　❷ Susan <u>will ride</u> a bike.

　　❸ The child <u>can't read</u> a map.　　❹ We <u>won't go</u> to the zoo.

　　❺ He <u>will not plays</u> table tennis.

2 ❶ You <u>may go</u> home now.　　❷ We <u>must not make</u> noise here.

　　❸ He <u>don't have to</u> get up early.　　❹ They <u>have to do</u> their homework.

　　❺ You <u>may not watch</u> TV now.

[3-4] 다음 두 문장이 같은 뜻이 되도록 빈칸에 알맞은 말을 고르세요.

3

| Penguins cannot fly. = Penguins _____ fly. |

　❶ isn't able to　　　❷ are able not to　　　❸ aren't able to

　❹ don't able to　　　❺ doesn't able to

4

| He must clean his room. = He _____ clean his room. |

　❶ have to　　　❷ has to　　　❸ may

　❹ can　　　❺ will

[5-7] 다음 문장을 지시대로 바꿔 쓸 때 빈칸에 알맞은 말을 고르세요.

5

| Jason will win the race. (의문문) ➡ _____ the race? |

　❶ Does Jason will win　　❷ Will Jason win　　❸ Is Jason will win

　❹ Will Jason wins　　❺ Will win Jason

6

> It may rain tomorrow. (부정문) ➡ It _____ tomorrow.

❶ not may rain   ❷ may rain not   ❸ doesn't may rain

❹ isn't may use   ❺ may not rain

7

> They have to wash the windows. (부정문)
> ➡ They _____ wash the windows.

❶ don't have to   ❷ have not to   ❸ have to not

❹ doesn't have to   ❺ don't has to

[8 – 10] 다음 우리말을 영어로 바르게 옮긴 문장을 고르세요.

8

> 너는 내 자를 사용해도 된다.

❶ You will use my ruler.   ❷ You must use my ruler.

❸ You have to use my ruler.   ❹ You can use my ruler.

❺ You are able to use my ruler.

9

> 그 남자아이는 배가 고플지도 모른다.

❶ The boy will be hungry.   ❷ The boy may be hungry.

❸ The boy must be hungry.   ❹ The boy has to be hungry.

❺ The boy is able to be hungry.

10

> 그는 자기 개를 사랑하는 것이 틀림없다.

❶ He will love his dog.   ❷ He can love his dog.

❸ He may love his dog.   ❹ He must love his dog.

❺ He has to love his dog.

REVIEW TEST 03

[11 – 13] 다음 빈칸에 들어갈 말이 순서대로 바르게 짝지어진 것을 고르세요.

11

> • I _____ solve this math problem. 나는 이 수학 문제를 풀지 못한다.
>
> • _____ you help me, please? 저를 좀 도와주시겠어요?

❶ mustn't – Can 　　❷ will not – May 　　❸ can't – Can

❹ can't – Must 　　❺ don't have to – Can

12

> A: _____ I go out and play? 제가 밖에 나가 놀아도 될까요?
>
> B: OK. But you _____ come home early. 그래. 하지만 너는 집에 일찍 들어와야 한다.

❶ May – must 　　❷ Can – may 　　❸ Will – must

❹ Do – can 　　❺ May – don't have to

13

> A: _____ you buy that book? 너는 그 책을 살 거니?
>
> B: Yes. It _____ be interesting. 응. 그것은 틀림없이 재미있을 거야.

❶ Can – may 　　❷ May – must 　　❸ Will – must

❹ Do – can 　　❺ Will – may

[14 – 15] 다음 중 짝지어진 대화가 <u>어색한</u> 것을 고르세요.

14 ❶ A: May I call you tonight?　　　　　　　B: Sorry, but you may not.

　　❷ A: Will they go hiking tomorrow?　　　B: Yes, they will.

　　❸ A: Are you able to play the guitar?　　　B: Yes, I'm not.

　　❹ A: Can Bill ski?　　　　　　　　　　　B: Yes, he can.

　　❺ A: Is she able to speak Japanese?　　　B: No, she isn't.

15 ❶ A: Can I borrow your scissors?   B: Sure. Here you are.

❷ A: She must be Kelly.   B: Yes. She always wears a green hat.

❸ A: I have a test tomorrow.   B: You must not study hard today.

❹ A: May I sit on the chair?   B: Yes, you may.

❺ A: Can you carry my bag?   B: Sorry, but I can't.

[16 - 18] 우리말 뜻과 같도록 알맞은 조동사와 함께 주어진 말을 사용하여 문장을 완성하세요.

16 우리 삼촌이 내일 우리 집을 방문하실지도 모른다. (visit)

➡ My uncle _____ _____ my house tomorrow.

17 너는 여기에서 껌을 씹으면 안 된다. (chew)

➡ You _____ _____ _____ gum here.

18 나는 영어로 일기를 쓸 수 있다. (write)

➡ I _____ _____ a diary in English.

[19 - 20] 주어진 말을 바르게 배열하여 문장을 쓰세요.

19 (for me / you / can / find my umbrella / ?)

➡ _____

나를 위해 내 우산을 찾아 줄 수 있니?

20 (I / on the computer / watch a movie / may / ?)

➡ _____

제가 컴퓨터로 영화를 봐도 될까요?

조동사 (3)

엄마, 아빠와 함께 캠핑을 하는 날.
캠핑장 옆에는 시냇물도 흐른다.

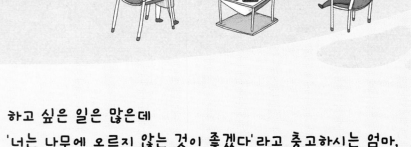

하고 싶은 일은 많은데
'너는 나무에 오르지 않는 것이 좋겠다'라고 충고하시는 엄마,
조동사 should에 not을 붙여 나를 말리신다.

> You **should not climb** the tree.

should not은 '~하지 않는 것이
좋겠다'라고 충고할 때 쓰는 말이다.

Dad, **shall we go** fishing?

아빠에게 낚시를 가자고 해 볼까?
아빠, 낚시하러 가시겠어요?

Shall we ~?로 제안하니 흔쾌히 동의하시는 아빠.

Will you help me, please?

와, 내 줄에 큰 물고기가 걸려
내 힘으론 힘들다.
저 좀 도와주시겠어요?

이럴 땐 Will you ~?로 부탁해서
도움을 받는 게 좋지!

**Would you like to
have** some fish?

함께 잡은 물고기를 요리해서
다 같이 먹는 시간.
엄마, 생선 좀 드시겠어요?

늘 공손한 내가 Would you like to ~?
표현을 빠뜨릴 리가.

조동사 (3) **141**

01 조동사 should와 had better

조동사 should와 had better는 동사에 '충고'의 의미를 더해 주는데,
had better는 should보다 더 강하게 충고하는 말입니다.

A 충고를 나타내는 should

should는 '~하는 것이 좋겠다'라고 충고를 할 때 사용합니다. 부정문인 should not은
'~하지 않는 것이 좋겠다'라는 뜻으로 shouldn't로 줄여 쓸 수 있습니다.

You **should go** to the doctor. 너는 병원에 가 보는 것이 좋겠다.

You **should take** an umbrella. 너는 우산을 가져가는 것이 좋겠다.

We **shouldn't(=should not) eat** too much candy. 우리는 사탕을 너무 많이 먹지 않는 것이 좋겠다.

He **shouldn't play** computer games at night. 그는 밤에 컴퓨터 게임을 하지 않는 것이 좋겠다.

B 경고를 나타내는 had better

「had better+동사원형」도 '~하는 것이 좋겠다[좋을 것이다]'라는 충고를 나타내지만
그렇게 하지 않으면 안 좋은 일이 생길 것이라는 경고의 의미를 담고 있습니다.
'~하지 않는 것이 좋겠다[좋을 것이다]'라는 부정문은 「had better not+동사원형」을 씁니다.

You **had better go** home now. 너는 지금 집에 가는 것이 좋겠다.

We **had better take** the subway. 우리는 지하철을 타는 것이 좋겠다.

You **had better not sit** on the bench. 너는 그 벤치에 앉지 않는 것이 좋겠다.

He **had better not watch** TV. 그는 TV를 보지 않는 것이 좋겠다.

◉ had better의 had는 주어에 따라 have나 has로 바뀌지 않고, 항상 had로 써야 합니다.

Grammar Walk

정답 및 해설 30쪽

A 다음 문장의 괄호 안에서 알맞은 말을 골라 동그라미 하세요.

1 You (should exercising / (should exercise)) regularly.

2 He (shoulds brush / should brush) his teeth now.

3 We (should not / not should) catch fish here.

4 Nick (shouldn't watches / shouldn't watch) TV now.

5 You (have better / had better) finish your homework.

6 Jane (has better / had better) wear a coat.

7 He (had not better / had better not) go to bed late.

8 She had better (not play / not plays) the piano at night.

had better는 조동사라서 뒤에 항상 동사원형이 와. 부정형인 had better not 역시 동사원형과 함께 쓰인다는 것을 잊지 마.

B 다음 말에 알맞은 응답을 찾아 선으로 연결하세요.

1 I'm sleepy.

2 This dog looks angry.

3 This milk smells bad.

4 I have a toothache.

a. You shouldn't drink it.

b. You should go to bed now.

c. You had better go to the dentist.

d. You had better not touch it.

WORDS · **exercise** 운동하다 · **regularly** 규칙적으로 · **smell** 냄새가 나다 · **dentist** 치과 의사 · **toothache** 치통

02 Will you ~?/Shall I[we] ~?/Would you like to ~?

상대방에게 부탁할 때는 Will you ~?, 제안할 때는 Shall I[we] ~?, 권유할 때는
Would you like to ~?를 써서 말할 수 있습니다.

A 요청이나 부탁할 때 Will you ~?

Will you ~?는 '~해 주겠니?'라고 상대방에게 요청하거나 부탁할 때 씁니다.

Will you open the window?　　　　　　　Yes, I will. / I'm sorry, but I can't.
창문 좀 열어 주겠니?　　　　　　　　　　　응, 그럴게.　　미안하지만, 안 돼.

B 제안할 때 Shall I[we] ~?

Shall I ~?는 '내가 ~할까?', Shall we ~?는 '우리 ~할까?'라는 뜻으로
상대방의 의견을 묻거나 제안하는 표현입니다.

Shall I call you tomorrow morning?　　　Yes, please. / No, that's OK.
내가 내일 아침에 네게 전화할까?　　　　　　응, 그렇게 해 줘.　아니, 괜찮아.

Shall we have lunch together?　　　　　Yes, let's. / No, let's not.
우리 점심 식사를 함께 할까?　　　　　　　응, 그러자.　　아니, 그러지 말자.

C 권유할 때 Would you like to ~?

Would you like to ~?는 '~을 하시겠어요?', '~을 하고 싶으세요?'라는 뜻으로,
상대방의 의향을 묻거나 상대방에게 정중하게 권유할 때 씁니다.
I would like to ~.(나는 ~하고 싶다.)는 자신이 원하는 것을 공손하게 표현하는 말입니다.

Would you like to go hiking tomorrow?　Yes, I'd(=I would) like to. / Sorry, but I can't.
내일 하이킹하러 가시겠어요?　　　　　　　네, 그러고 싶어요.　　　　　미안하지만, 못 가요.

I'd(=I would) like to see the movie.　나는 그 영화를 보고 싶다.

Grammar Walk

정답 및 해설 30쪽

A 다음 문장의 괄호 안에서 알맞은 말을 골라 동그라미 하세요.

1 (Will you go / Will you going) to the concert with me?

2 (Will I / Will you) help me with my homework?

3 (Shall you / Shall I) turn down the volume?

4 (Shall you / Shall I) turn on the light?

5 Shall (we dancing / we dance) together?

6 Would you (like have to / like to have) some pizza?

7 Would (you like / you like to) drink some juice?

8 I'd (like to read / like read to) this book.

상대의 부탁이나 요청을 수락할 때는 Sure.[Okay. /Of course.] 등으로 말할 수 있어.

B 다음 문장에서 밑줄 친 부분의 우리말 뜻을 찾아 선으로 연결하세요.

1 <u>Will you</u> lend me your book?

2 <u>Shall we</u> take a walk now?

3 <u>Would you like to</u> come to my party?

4 <u>Will you</u> open the door?

5 <u>Shall I</u> close the window?

a. ~을 하시겠어요?

b. 내가 ~할까?

c. ~해 주겠니?

d. 우리 ~할까?

 WORDS · **turn down** (소리 등을) 낮추다 · **volume** 음향, 소리 · **turn on** ~을 켜다 · **light** 전등 · **lend** 빌려 주다

Grammar Run!

A 다음 문장에서 밑줄 친 부분의 우리말 뜻을 골라 동그라미 하세요.

1 You <u>should bring</u> your lunch box.
  ❶ 가져올 수 있다   ❷ 가져오는 것이 좋겠다

2 You <u>should not eat</u> too much junk food.
  ❶ 먹지 않았을 것이다   ❷ 먹지 않는 것이 좋겠다

3 You <u>had better come</u> home early today.
  ❶ 오는 것이 좋겠다   ❷ 와도 된다

4 We <u>had better not forget</u> our homework.
  ❶ 잊어버리지 않는 것이 좋겠다   ❷ 잊어버리지 않을 것이다

5 <u>Will you move</u> this table?
  ❶ 옮겨도 되니?   ❷ 옮겨 주겠니?

6 <u>Will you lend</u> me your ruler?
  ❶ 빌려 주어야 하니?   ❷ 빌려 주겠니?

7 <u>Shall I answer</u> his e-mail?
  ❶ 내게 답장해 주겠니?   ❷ 내가 답장할까?

8 <u>Shall we ride a bike</u> in the park?
  ❶ 우리 자전거를 탈까?   ❷ 우리 자전거를 타야 하니?

9 <u>Shall we have</u> some spaghetti?
  ❶ 우리 먹을까?   ❷ 우리 먹을 수 있을까?

10 <u>Would you like to play</u> basketball today?
  ❶ 농구를 하시겠어요?   ❷ 농구를 할 수 있나요?

11 <u>Would you like to go sledding</u> tomorrow?
  ❶ 썰매를 타러 가시겠어요?   ❷ 썰매를 타러 가야 하나요?

12 <u>I'd like to play</u> a board game.
  ❶ 해야 한다   ❷ 하고 싶다

상대방에게 부탁하거나 요청하는 말로 Can you ~? / Will you ~? / Could you ~? / Would you ~? 등이 있어.

B 다음 문장의 빈칸에 알맞은 말을 괄호 안에서 골라 빈칸에 쓰세요.

1 We ___should___ stand in line. (will / should)
우리는 줄을 서는 것이 좋겠다.

2 You _____ throw away the trash here. (won't / shouldn't)
너는 여기에 쓰레기를 버리지 않는 것이 좋겠다.

3 You _____ _____ be quiet in class. (had to / had better)
너는 수업 중에 조용히 하는 것이 좋겠다.

4 You _____ _____ _____ tease her. (don't have to / had better not)
너는 그녀를 놀리지 않는 것이 좋겠다.

5 You _____ _____ lock the door. (had better / should not)
너는 문을 잠그는 것이 좋겠다.

6 _____ you pass me the spoon? (Will / Shall)
내게 숟가락 좀 건네주겠니?

7 _____ you buy me a hamburger? (Should / Will)
내게 햄버거 좀 사 주겠니?

8 _____ I wash the dishes? (Shall / Must)
내가 설거지를 할까?

9 _____ we wait for Karl here? (Would / Shall)
우리 여기에서 칼을 기다릴까?

10 _____ you like to go on a picnic this Sunday? (Should / Would)
이번 일요일에 소풍을 가시겠어요?

> Would you like to ~?에 대한 대답은 수락할 때는 Yes, I'd like to./Yes, I'd love to.로, 거절할 때는 No, thank you./Sorry, but I can't. 등으로 해.

11 Would you _____ _____ come to my house? (like to / have to)
우리 집에 오시겠어요?

12 _____ _____ to watch the soccer game. (I have / I'd like)
나는 그 축구 경기를 보고 싶다.

WORDS · **stand in line** 일렬로 서다 · **throw away** 버리다 · **trash** 쓰레기 · **tease** 놀리다[장난하다] · **lock** 잠그다

Grammar Jump!

A 주어진 말을 사용하여 다음 문장을 완성하세요.

1 You ___should___ ___keep___ your promise. (keep, should)

2 You _____ _____ _____ the trash. (pick up, should)

3 We _____ _____ _____ water. (not, waste, should)

4 He _____ _____ _____ on the street. (not, shout, should)

5 You _____ _____ _____ carefully. (listen, had better)

6 We _____ _____ _____ _____ the knife. (not, use, had better)

7 He _____ _____ _____ _____ with Bill. (not, fight, had better)

8 _____ you _____ the plants? (water, will)

9 _____ you _____ _____ the music? (turn down, will)

10 _____ I _____ you a secret? (tell, shall)

11 _____ we _____ a train? (take, shall)

12 _____ you _____ _____ _____ on the shoes? (try, would, like to)

13 _____ you _____ _____ _____ ? (dance, would, like to)

14 _____ you _____ _____ to Rome? (go, would, like to)

15 _____ _____ _____ _____ these pants. (buy, I'd like to)

 WORDS · **pick up** ～을 집대[들어 올리다] · **waste** 낭비하다 · **shout** 외치다, 소리치다 · **fight** 싸우다 · **secret** 비밀

148 Unit 07

B 다음 중 알맞은 말을 찾아 주어진 말과 함께 대화를 완성하세요. 중복해서 사용할 수 있어요.

will	had better	should	would like to
	should not	shall	like to

1 A: I'm very tired.
   B: You _should_ _take_ a rest. (take)

2 A: I can't sleep well at night.
   B: You _____ _____ _____ coffee before bed. (drink)

3 A: I have a bad cold.
   B: You _____ _____ _____ to the doctor. (go)

4 A: You _____ _____ _____ at the swimming pool. (run)
   B: Oh, I'm sorry.

5 A: _____ you _____ the doghouse? (paint)
   B: Yes, I will.

6 A: _____ you _____ me your eraser? (lend)
   B: Sorry, but I can't.

7 A: _____ I _____ Dave to my party? (invite)
   B: That's a good idea.

8 A: _____ we _____ at 3 o'clock? (meet)
   B: OK. Let's meet then.

9 A: Would you _____ _____ _____ badminton? (play)
   B: Yes, I'd like to.

10 A: I _____ _____ _____ _____ a fashion designer. (become)
   B: That sounds good. You will be a famous designer.

WORDS   · **bad cold** 독감   · **doghouse** 개집   · **become** ~이 되다   · **fashion designer** 패션 디자이너   · **famous** 유명한

Grammar Fly! . . . .

A 다음 우리말 뜻과 같도록 주어진 말을 사용하여 문장을 쓰세요.

1 너는 그 그림을 만지지 않는 것이 좋겠다. (touch the painting, should)
➡ ___You should not touch the painting.___

2 우리는 채소를 많이 먹는 것이 좋겠다. (eat lots of vegetables, should)
➡ _____

3 우리는 휴대 전화를 끄는 것이 좋겠다. (turn off our cell phones, should)
➡ _____

4 너는 일찍 잠자리에 드는 것이 좋겠다. (go to bed early, had better)
➡ _____

5 그녀는 오늘 밖에 나가지 않는 것이 좋겠다. (go out today, had better)
➡ _____

6 내게 신문 좀 주겠니? (give me a newspaper, will)
➡ _____

7 우리 개 좀 찾아 주겠니? (find my dog, will)
➡ _____

8 우리 오늘 미술관에 갈까? (go to the gallery today, shall)
➡ _____

9 내가 네 자전거를 고쳐 줄까? (fix your bike, shall)
➡ _____

10 이 재킷을 입어 보시겠어요? (try on this jacket, would, like to)
➡ _____

11 케이크 좀 드시겠어요? (have some cake, would, like to)
➡ _____

12 나는 롤러코스터를 타고 싶다. (ride a roller coaster, would like to)
➡ _____

WORDS · **vegetable** 채소, 야채 · **turn off** ~을 끄다 · **give** 주다, 건네주다 · **newspaper** 신문 · **gallery** 미술관

150 Unit 07

B 주어진 말을 바르게 배열하여 문장을 쓰세요.

1 (exercise regularly / should / we / .) 우리는 규칙적으로 운동하는 것이 좋겠다.
➡ We should exercise regularly.

2 (should / wash your hair today / you / .) 너는 오늘 머리를 감는 것이 좋겠다.
➡ _____

3 (shouldn't / eat too much chocolate / you / .) 너는 초콜릿을 너무 많이 먹지 않는 것이 좋겠다.
➡ _____

4 (had better / they / before dark / go home / .) 그들은 어두워지기 전에 집에 가는 것이 좋겠다.
➡ _____

5 (in class / had better not / you / make noise / .) 너는 수업 중에 떠들지 않는 것이 좋겠다.
➡ _____

6 (a text message / will you / send me / ?) 내게 문자 메시지를 보내 주겠니?
➡ _____

7 (lend me / your book / will you / ?) 내게 네 책 좀 빌려 주겠니?
➡ _____

8 (do the homework together / shall we / ?) 우리 같이 숙제할까?
➡ _____

9 (feed the bird / shall I / ?) 내가 그 새에게 먹이를 줄까?
➡ _____

10 (drink / would you like to / some water / ?) 물 좀 드시겠어요?
➡ _____

11 (with me / go shopping / would you like to / ?) 나와 함께 쇼핑하러 가시겠어요?
➡ _____

12 (become a pilot / I'd like to / .) 나는 비행기 조종사가 되고 싶다.
➡ _____

WORDS · **dark** 어둠 · **make noise** 떠들다 · **in class** 수업 중에 · **send** 보내다, 발송하다 · **together** 함께, 같이

Grammar & Writing

A 정보 활용하기 몸이 아파 양호실을 찾아온 친구들과 양호 선생님이 대화를 하고 있어요. 그림을 보고, 주어진 말과 should 또는 should not을 사용하여 대화를 완성하세요.

1

(eat too many sweets)

A: I have a toothache.

B: _____You should not eat too many sweets._____

2

(drink some warm water)

A: I have a sore throat.

B: _____

3

(drink coffee before bed)

A: I can't sleep at night.

B: _____

4

(take some medicine)

A: I have a bad cold.

B: _____

5

(eat spicy food)

A: I have a stomachache.

B: _____

 WORDS · **sore throat** 목감기   · **take medicine** 약을 먹다   · **spicy** 양념 맛이 강한   · **stomachache** 위통, 복통

B 그림 묘사하기 오늘은 산이네 부모님이 여행을 떠나시는 날이에요. 집을 나서기 전에 산이와 하늘이에게 어떤 부탁을 하시는지 Will you ~?를 사용하여 대화를 완성하세요.

1 *Mom*: <u>Will you take out the garbage</u> , San? (take out the garbage)
  San: OK.

2 *Dad*: _____ , Haneul? (water the plants)
  Haneul: Sure!

3 *Mom*: _____ , San? (feed Tabby)
  San: Yes, I will.

4 *Mom*: _____ , San? (answer the phone)
  San: Yes, I will.

5 *Dad*: _____ , Haneul? (walk Max)
  Haneul: Of course, I will.

 WORDS · **take out** (밖에) 내다 놓다 · **garbage** 쓰레기 · **plant** 식물 · **feed** 먹이를 주다 · **walk** 산책시키다, 걷게 하다

UNIT TEST 07

1 다음 중 밑줄 친 부분이 <u>잘못된</u> 문장을 고르세요.

❶ You <u>should wear</u> a seat belt.   ❷ We <u>should not touch</u> the paintings.

❸ You <u>had better go</u> to bed early.   ❹ He <u>had not better jump</u> on the bed.

❺ I'<u>d like to read</u> a comic book.

2 다음 중 올바른 문장을 고르세요.

❶ You have better brush your teeth.   ❷ Suji should finishes her homework.

❸ He had better not runs in the hall.   ❹ I'd like to playing chess.

❺ You shouldn't watch too much TV.

[3-5] 다음 대화의 빈칸에 알맞은 말을 고르세요.

3

> **A:** _____ we take a walk?   **B:** OK.

❶ Do   ❷ Are   ❸ Shall   ❹ Is   ❺ Must

4

> **A:** _____ you lend me your comic book?
> **B:** I'm sorry, but I can't.

❶ Shall   ❷ Do   ❸ May   ❹ Will   ❺ Should

5

> **A:** _____ you like to go skating tomorrow?
> **B:** Yes, I'd like to.

❶ Will   ❷ Would   ❸ Should   ❹ Can   ❺ Shall

[6 – 7] 다음 문장의 빈칸에 알맞은 말을 고르세요.

6

> Sora looks sick. She _____ go to the doctor.

❶ should   ❷ should not   ❸ can't

❹ don't have to   ❺ had better not

7

> This milk smells bad. We _____ drink it.

❶ had better   ❷ should   ❸ can

❹ had better not   ❺ must

[8 – 10] 다음 우리말 뜻과 같도록 빈칸에 알맞은 말을 고르세요.

8

> 그 풀 좀 건네주겠니? ➡ _____ pass me the glue?

❶ Shall I   ❷ Should we   ❸ Shall we

❹ Can I   ❺ Will you

9

> 수프를 좀 드시겠어요? ➡ _____ have some soup?

❶ Do you   ❷ Should we   ❸ Would you like to

❹ Can I   ❺ May I

10

> 내가 창문을 닫을까? ➡ _____ close the window?

❶ Shall I   ❷ Will you   ❸ Shall we

❹ Do you   ❺ Can you

[11 - 13] 다음 대화의 빈칸에 알맞은 말을 고르세요.

11

A: I have an English test tomorrow.
B: You _____ study now.

❶ had better not   ❷ don't have to   ❸ shouldn't

❹ had better   ❺ are able to

12

A: You _____ make noise in the library.
B: Oh, I'm sorry.

❶ should   ❷ shouldn't   ❸ had better

❹ have to   ❺ can

13

A: _____ become a scientist.
B: Good. You will become a great scientist.

❶ I'd like to   ❷ I shouldn't   ❸ I don't have to

❹ I'm not going to   ❺ I won't

[14 - 15] 다음 문장의 빈칸에 공통으로 알맞은 말을 고르세요.

14

• Sam, _____ you help me with my homework?
• The train _____ arrive at 3 o'clock.

❶ should   ❷ must   ❸ will

❹ may   ❺ shall

15

> • I _____ like to draw a picture.
> • _____ you like to ride a roller coaster?

❶ should[Should] ❷ shouldn't[Shouldn't] ❸ had better[Had better]

❹ would[Would] ❺ can[Can]

[16-17] 다음 중 짝지어진 대화가 <u>어색한</u> 것을 고르세요.

16 ❶ **A:** I'm tired. **B:** You had better take a rest.

  ❷ **A:** He is very thirsty. **B:** We should give him some water.

  ❸ **A:** She has a headache. **B:** She had better go to the doctor.

  ❹ **A:** It may rain today. **B:** You shouldn't take an umbrella.

  ❺ **A:** I'd like to have some cake. **B:** OK. Here you are.

17 ❶ **A:** Will you lend me your pencil? **B:** Yes. Here you are.

  ❷ **A:** Shall we ride bikes together? **B:** Yes, you will.

  ❸ **A:** Would you like to play chess? **B:** Sorry, but I can't. I'm busy.

  ❹ **A:** Shall I bring a lunch box? **B:** Yes. We will have lunch outside.

  ❺ **A:** Would you like to go camping? **B:** Yes, I'd love to.

[18-19] 다음 우리말 뜻과 같도록 빈칸에 알맞은 말을 쓰세요.

18 너는 그 개를 만지지 않는 것이 좋겠다.

➡ You _____ _____ _____ touch the dog.

19 그 티셔츠를 입어 보시겠어요?

➡ _____ _____ _____ try on the T-shirt?

[20-23] 다음 우리말 뜻과 같도록 주어진 말을 사용하여 문장을 완성하세요.

20 너는 채소를 많이 먹는 것이 좋겠다. (eat)

➡ You _____ _____ a lot of vegetables.

21 우리는 지금 출발하는 것이 좋겠다. (leave)

➡ We _____ _____ _____ now.

22 우리 내일 동물원에 갈까? (go)

➡ _____ _____ _____ to the zoo tomorrow?

23 나를 도와주겠니? (help)

➡ _____ _____ _____ me?

[24-25] 주어진 말을 바르게 배열하여 문장을 쓰세요.

24 (the book / buy / would you like to / ?)

➡ _____

그 책을 사시겠어요?

25 (not / had better / run in the classroom / you / .)

➡ _____

교실에서 뛰지 않는 것이 좋겠다.

WRAP UP

정답 및 해설 33~34쪽

1 조동사 should와 had better

should	should 1 ☐	2 ☐ 3 ☐	had better not
충고	충고	경고	경고
~하는 것이 좋겠다	~하지 않는 것이 좋겠다	~하는 것이 좋겠다	~하지 않는 것이 좋겠다

2 조동사의 여러 가지 표현

Will you ~?	Shall I ~?	Shall we ~?	Would you like to ~?
부탁	제안	제안	권유
1 ☐	내가 ~할까?	2 ☐	~을 하시겠어요?

Check Up 그림을 보고, 알맞은 말을 찾아 다음 대화의 빈칸에 쓰세요.

would had shall

UNIT 08 여러 가지 문장

Let's go to the mountain.

아빠께서 내게 등산을 가자고 말씀하신다.
「Let's+동사원형 ~.」은 '~하자'라고
제안하는 표현이다.

what이나 how를 사용하여 '~이구나!', '~하구나!'라는
뜻의 감탄문을 만들 수 있어서 기쁨이나 놀람을 잘 표현할 수 있구나.

What a tall tree it is!

정말 키가
큰 나무구나!

How pretty these
flowers are!

이 꽃들은 매우
예쁘구나!

Be careful! There are bees.

아빠께서 내게 벌이 있다며,
조심하라고 말씀하신다.

동사원형으로 시작하는 이 문장은
'~해라' 하고 지시하는 명령문이다.
미남을 알아볼라, 조심해야지.

이제 정상이다.
이 산은 정말 아름다워, 그렇지 않니?
아빠께서 부가 의문문을 덧붙여
내게 동의를 구하신다.

This mountain is very beautiful,
isn't it?

확인하거나 동의를 구하기 위해
문장 뒤에 짧게 붙이는 부가 의문문.

제안하는 문장, 감탄문, 명령문, 부가 의문문······.
이런 문장들이 있기에 영어 표현이
더욱 풍부해진다.

여러 가지 문장 **161**

01 명령문과 감탄문

명령문은 상대방에게 어떤 행동을 명령하거나 지시하는 문장이고, 감탄문은 놀람, 기쁨, 슬픔 등의
감정을 나타내는 문장입니다.

A 명령할 때

상대방에게 무엇인가를 하라고 말할 때는 주어를 생략하고 동사원형을 문장의 맨 앞에 씁니다.
'~하지 마라'라고 할 때는 「Don't+동사원형 ~.」으로 씁니다.

Be careful! 조심해!　　　　　　　　　**Sit** down, please. 앉으세요.

Please don't touch the painting. 그 그림을 만지지 마세요.

💡 「명령문, and ~.」는 '~해라, 그러면 ~할 것이다.'라는 뜻이고, 「명령문, or ~.」는 '~해라,
그러지 않으면 ~할 것이다.'라는 뜻입니다.

　　Go this way, **and** you will find the pond. 이 길로 가라, 그러면 너는 연못을 찾을 것이다.

　　Wear your coat, **or** you will be cold. 네 외투를 입어라, 그러지 않으면 너는 추울 것이다.

B 제안할 때

상대방에게 어떤 일을 함께 하자고 제안하거나 권유할 때 「Let's+동사원형 ~.(~하자.)」으로 씁니다.
'~하지 말자.'라는 부정문은 「Let's not+동사원형 ~.」을 씁니다.

Let's go for a walk. 산책하러 가자.　　　**Let's not make** noise. 떠들지 말자.

C 감탄할 때

what으로 시작하는 감탄문은 「What+(a/an)+형용사+명사(+주어+동사)!(매우 ~한 …이구나!)」로 쓰고,
how로 시작하는 감탄문은 「How+형용사[부사](+주어+동사)!(…이 매우 ~하구나!)」로 씁니다.

What a smart girl she is!　　　　　**How beautiful** the picture is!
그녀는 아주 영리한 여자아이구나!　　　　그 그림은 매우 아름답구나!

Grammar Walk

정답 및 해설 34쪽

A 다음 문장의 괄호 안에서 알맞은 말을 골라 동그라미 하세요.

1 (Open / Opens) the door, please.

2 (Be / Are) nice to your friends.

3 (Doesn't / Don't) turn on the TV.

4 Hurry up, (and / or) you will be late for school.

5 Exercise regularly, (and / or) you will be healthy.

6 Let's (draw / draws) a picture.

7 (Not let's / Let's not) tell a lie.

「명령문, and ~.」는 명령문으로 지시한 행동을 했을 경우 따라올 결과가 and 뒤에 나와.

「명령문, or ~.」는 명령문으로 지시한 행동을 하지 않았을 경우 따라올 결과가 or 뒤에 나와.

what으로 시작하는 감탄문에서 형용사 뒤의 명사가 복수명사일 때는 a나, an을 쓰지 않아.

B 다음 문장의 빈칸에 알맞은 말을 골라 동그라미 하세요.

1 _____ a kind boy he is! ❶ What ❷ How

2 _____ tall the tree is! ❶ What ❷ How

3 What _____ ship it is! ❶ a big ❷ big a

4 How _____ the doll is! ❶ a pretty ❷ pretty

5 What _____ flowers they are! ❶ a beautiful ❷ beautiful

6 _____ lazy the panda is! ❶ How ❷ What

WORDS · **regularly** 규칙적으로 · **healthy** 건강한 · **tell a lie** 거짓말하다 · **ship** 배, 선박 · **panda** 판다

02 부가 의문문

부가 의문문은 상대방에게 확인하거나 동의를 구하기 위해 문장 뒤에 붙이는 짧은 의문문입니다.

A 부정의 부가 의문문

앞 문장이 긍정이면 앞 문장의 동사에 따라 「be동사/do동사/조동사의 부정형+주어(대명사)?」를
문장 맨 끝에 덧붙이며, '그렇지 않니?'라는 뜻입니다.

It is warm here, **isn't it?** 여기는 따뜻해. 그렇지 않니? 〈be동사〉

You have a pet, **don't you?** 너는 애완동물이 있어. 그렇지 않니? 〈일반동사〉

Jane will join the music club, **won't she?** 제인은 그 음악 동아리에 가입할 거야. 그렇지 않니? 〈조동사〉

B 긍정의 부가 의문문

앞 문장이 부정이면 앞 문장의 동사에 따라 「be동사/do동사/조동사+주어(대명사)?」를
문장 맨 끝에 덧붙이며, '그렇지?'라는 뜻입니다.

The boys weren't lazy, **were they?** 그 남자아이들은 게으르지 않았어. 그렇지? 〈be동사〉

Paul didn't go camping, **did he?** 폴은 캠핑하러 가지 않았어. 그렇지? 〈일반동사〉

She can't play the guitar, **can she?** 그녀는 기타를 치지 못해. 그렇지? 〈조동사〉

C 명령문과 제안문의 부가 의문문

앞 문장이 긍정이든 부정이든 명령문의 부가 의문문은 항상 will you?를 쓰고,
제안문의 부가 의문문은 항상 shall we?를 씁니다.

Clean your room, **will you?** 네 방을 청소해라. 알았지?

Don't make noise here, **will you?** 여기서 떠들지 마라. 알았지?

Let's fly a kite, **shall we?** 연을 날리자. 그럴래?

Grammar Walk

정답 및 해설 34쪽

A 다음 문장의 괄호 안에서 알맞은 말을 골라 동그라미 하세요.

1 You are from Canada, (are / (aren't)) you?

2 Your mother was a nurse, (was / wasn't) she?

3 Mike goes to school by bike, (is / doesn't) he?

4 You take violin lessons, (do / don't) you?

5 He wasn't at the library, (was / wasn't) he?

6 She doesn't like scary movies, (does / doesn't) she?

7 They didn't play soccer, (did / didn't) they?

앞 문장이 긍정이면 부정의 부가 의문문을 덧붙이고, 앞 문장이 부정이면 긍정의 부가 의문문을 덧붙여야 해.

B 다음 밑줄 친 부가 의문문이 맞으면 O, 틀리면 ×를 쓰세요.

1 You can ski, <u>can't you?</u> (O)

2 He will do his homework, <u>will he?</u> (   )

3 Ann can't come to my party, <u>can't she?</u> (   )

4 They won't go to the concert, <u>will they?</u> (   )

5 Don't walk on the grass, <u>do you?</u> (   )

6 Let's have a snowball fight, <u>shall we?</u> (   )

WORDS　· **violin lesson** 바이올린 수업　· **scary** 무서운, 겁나는　· **grass** 풀, 잔디　· **snowball fight** 눈싸움

Grammar Run! ·

A 다음 문장의 괄호 안에서 알맞은 말을 골라 동그라미 하세요.

1 ((Listen) / Listens) carefully to me.
내 말을 주의해서 들어라.

2 (Do honest / Be honest) to your parents.
너희 부모님께 솔직해라.

3 (Don't worry / Be worry) about the exam.
시험에 대해 걱정하지 마라.

4 (Don't be / Don't do) angry.
화내지 마라.

5 Hurry up, (and / or) you will miss the train.
서둘러라, 그러지 않으면 너는 그 기차를 놓칠 것이다.

6 Close the window, (and / or) it'll be quiet.
창문을 닫아라, 그러면 조용할 것이다.

7 Go straight, (and / or) you'll see the bakery.
곧바로 가라, 그러면 제과점이 보일 것이다.

8 Take an umbrella, (and / or) you will get wet.
우산을 가져가라, 그러지 않으면 너는 비에 젖을 것이다.

9 (Let's start / Let's not start) the game.
경기를 시작하자.

10 (Let's not go / Don't go) fishing.
낚시하러 가지 말자.

11 (Let's have / Don't have) lunch outside.
밖에서 점심 식사를 하자.

12 (What / How) an exciting movie it is!
그것은 매우 흥미진진한 영화구나!

13 (What / How) strong the man is!
그 남자는 무척 힘이 세구나!

14 (What / How) tall buildings those are!
저것들은 무척 높은 건물들이구나!

15 (What / How) high that kite flies!
저 연은 무척 높이 나는구나!

평서문이 This is a very pretty doll. 처럼 주어와 동사 뒤에 「very+형용사+명사」가 오는 문장이면, what으로 시작하는 감탄문으로 쓸 수 있어.

평서문이 This doll is very pretty.처럼 주어와 동사 뒤에 「very+형용사/부사」만 오는 문장이면 how로 시작하는 감탄문으로 쓸 수 있지.

WORDS · **carefully** 주의 깊게 · **worry** 걱정하다 · **miss** 놓치다 · **get wet** 물에 젖다 · **exciting** 신 나는, 흥미진진한

B 다음 문장의 빈칸에 알맞은 말을 쓰세요.

1 You were at the mall this afternoon, ___weren't___ you?

2 Hana's father is an actor, _____ he?

3 A caterpillar turns into a butterfly, _____ it?

4 They will travel to Busan, _____ they?

5 You can help me tonight, _____ you?

6 Dad will buy a tent, _____ he?

7 They didn't go to the movies, _____ they?

8 You don't need a new bag, _____ you?

9 Jake can't move the bookcase, _____ he?

10 She won't study with us, _____ she?

11 Don't enter the room, _____ you?

12 Put the trash in the trash can, _____ you?

13 Don't jump on the sofa, _____ you?

14 Let's draw the flowers, _____ we?

15 Let's not take pictures here, _____ we?

앞 문장의 동사가 be동사일 때 부가 의문문의 동사는 be 동사를 사용해.

앞 문장의 동사가 일반동사일 때 부가 의문문의 동사는 do[does], did를 사용해.

앞 문장에 조동사가 있을 때 부가 의문문은 조동사를 사용해서 만들어.

WORDS ·caterpillar 애벌레 ·turn into ~로 변하다[바뀌다] ·tent 텐트 ·bookcase 책장, 책꽂이 ·trash 쓰레기

Grammar Jump!

A 다음 중 알맞은 말을 찾아 문장을 완성하세요. 중복해서 사용할 수 있어요.

pass	let's	write	waste	and
or	not	how	what	don't

1 ___Pass___ me the scissors, please.
   내게 그 가위를 건네주세요.

2 _____ your name and address.
   네 이름과 주소를 적어라.

3 _____ be sad.
   슬퍼하지 마라.

4 Please _____ _____ water.
   물을 낭비하지 마세요.

5 Clear your desk, _____ Mom will get angry.
   네 책상을 치워라. 그러지 않으면 엄마가 화내실 것이다.

6 Leave now, _____ you will arrive in time.
   지금 출발해라. 그러면 너는 제시간에 도착할 것이다.

7 _____ read these comic books.
   이 만화책들을 읽자.

8 _____ _____ play on the swings.
   그네를 타지 말자.

9 _____ ride bikes after school.
   방과 후에 자전거를 타자.

10 _____ beautiful islands they are!
    그것들은 무척 아름다운 섬들이구나!

11 _____ a brave boy he is!
    그는 무척 용감한 남자아이구나!

12 _____ fast the cheetahs run!
    그 치타들은 매우 빨리 달리는구나!

> please를 명령문의 앞이나 뒤에 쓰면 부탁하는 표현이 돼.

WORDS
· **waste** 낭비하다 · **clear** 치우다 · **get angry** 화가 나다, 화를 내다 · **swing** 그네 · **brave** 용감한

B 다음 문장의 빈칸에 알맞은 부가 의문문을 쓰세요.

1 Today is Thursday, ___isn't___ ___it___ ?

2 She was a pilot, _____ _____ ?

3 You have new shoes, _____ _____ ?

4 Nancy passed the test, _____ _____ ?

5 You can write a diary in English, _____ _____ ?

6 The children will ride a roller coaster, _____ _____ ?

7 You weren't tired then, _____ _____ ?

8 Harry doesn't like noodles, _____ _____ ?

9 The man can't lift the rock, _____ _____ ?

10 She won't go to the dentist, _____ _____ ?

11 Finish your homework before bed, _____ _____ ?

12 Lend me your glue, _____ _____ ?

13 Don't make a fire in the mountains, _____ _____ ?

14 Let's help that old woman, _____ _____ ?

15 Let's not swim in the river, _____ _____ ?

> 부가 의문문의 주어는 꼭 대명사로 써야 한다는 것을 기억해.

WORDS · **Thursday** 목요일　· **noodles** 국수　· **lift** 들어 올리다　· **rock** 바위, 암석　· **make a fire** 불을 피우다

Grammar Fly! . . . .

A 다음 밑줄 친 부분을 바르게 고쳐 문장을 다시 쓰세요.

1 <u>Raises</u> your hands.
➡ _____Raise your hands._____

2 <u>Doesn't</u> look at the answers.
➡ _____

3 Wash your hands, <u>or</u> I'll give you pizza.
➡ _____

4 Let's <u>meets</u> at the subway station.
➡ _____

5 Let's <u>don't</u> go to the mountain.
➡ _____

6 <u>How</u> a difficult question it is!
➡ _____

7 <u>What</u> delicious these cookies are!
➡ _____

8 This is your pencil case, <u>is</u> it?
➡ _____

9 He doesn't need a new notebook, <u>doesn't</u> he?
➡ _____

10 Bears can catch fish, <u>can</u> they?
➡ _____

11 Put on your gloves, <u>don't</u> you?
➡ _____

12 Let's clean the living room, <u>will you</u>?
➡ _____

 WORDS · **subway station** 지하철역 · **difficult** 어려운, 힘든 · **delicious** 아주 맛있는 · **put on** ~을 입다[끼다, 쓰다]

B 주어진 말을 바르게 배열하여 문장을 쓰세요.

1 (to your friends / be kind / .) 네 친구들에게 친절하게 대해라.

              Be kind to your friends.

2 (late at night / don't / call me / .) 내게 밤늦게 전화하지 마라.

3 (he will be hungry / or / , / feed the dog / .) 개에게 먹이를 주어라. 그러지 않으면 배고플 것이다.

> 보통 자신이 키우는 애완동물을 가리킬 때는 it 대신 he나 she를 써.

4 (have / a snack / let's / .) 간식을 먹자.

5 (she is / what / a lovely girl / !) 그녀는 아주 사랑스러운 여자아이구나!

6 (how fun / is / the festival / !) 그 축제는 매우 재미있구나!

7 (isn't it / , / November 10th / today is / ?) 오늘은 11월 10일이야, 그렇지 않니?

8 (don't like snakes / frogs / , / do they / ?) 개구리는 뱀을 좋아하지 않아, 그렇지?

9 (can she / move the bookcase / , / she / can't / ?) 그녀는 그 책장을 옮길 수가 없어, 그렇지?

10 (you / , / won't you / take care of the dog / will / ?) 네가 개를 돌볼 거야, 그렇지 않니?

11 (will you / , / turn off / the TV / ?) TV를 꺼라, 알았지?

12 (listen to music / let's / , / shall we / ?) 음악을 듣자, 그럴래?

WORDS · **snack** 간단한 식사[간식]　· **lovely** 사랑스러운　· **festival** 축제　· **take care of** ~을 돌보다

Grammar & Writing

A 정보 활용하기 강산이가 동생과 동물원에 갔어요. 호기심 많은 동생이 동물들에 대해 계속 질문을 하네요. 주어진 말을 사용하여 빈칸에 알맞은 말을 쓰세요.

1

(swim fast)
A: A turtle _swims fast_ , _doesn't it_ ?
B: Yes, it does.

2

(doesn't have legs)
A: A snake _____ , _____ ?
B: No, it doesn't.

3

(is tall)
A: A giraffe _____ , _____ ?
B: Yes, it is.

4

(can carry heavy things)
A: Elephants _____ , _____ ?
B: Yes, they can.

5

(can't fly)
A: Ostriches _____ , _____ ?
B: No, they can't.

WORDS · **turtle** 바다거북, 거북 · **giraffe** 기린 · **carry** 나르다 · **thing** 물건, 사물 · **ostrich** 타조

B 그림 묘사하기 수지네 마을 공원에서 벼룩 시장이 열렸어요. 벼룩 시장에는 놀랄 만한 물건들이 많아요. 수지가 벼룩 시장에 있는 물건들을 보면서 어떻게 감탄하는지 다음 문장을 완성하세요.

1 ___What a beautiful painting___ it is! (a beautiful painting)

2 _____ they are! (pretty dolls)

3 _____ it is! (a thick book)

4 _____ it is! (an old trunk)

5 _____ they are! (delicious cookies)

6 _____ they are! (funny masks)

 · **pretty** 예쁜 · **thick** 두꺼운 · **trunk** 트렁크, 큰 가방, 짐 가방 · **funny** 우스운, 웃기는 · **mask** 가면

UNIT TEST 08

[1-2] 다음 중 밑줄 친 부분이 잘못된 문장을 고르세요.

1 ❶ <u>Open</u> the window, please. ❷ <u>Don't enter</u> the room.
  ❸ <u>Be quiet</u> in the library. ❹ <u>Let's goes</u> swimming this afternoon.
  ❺ <u>Let's not play</u> basketball.

2 ❶ <u>What</u> a pretty doll it is! ❷ <u>How</u> cute the puppy is!
  ❸ <u>What</u> a nice boy he is! ❹ <u>How</u> tall trees they are!
  ❺ <u>How</u> fast the cheetah runs!

[3-5] 다음 문장의 빈칸에 알맞은 말을 고르세요.

3

Go this way, _____ you will see the bank.

  ❶ or   ❷ but   ❸ and
  ❹ before   ❺ are

4

You have a cat, _____ you?

  ❶ do   ❷ don't   ❸ are
  ❹ aren't   ❺ doesn't

5

Mary isn't from the U.S., _____ she?

  ❶ is   ❷ isn't   ❸ does
  ❹ doesn't   ❺ shall

[6 – 7] 다음 문장을 부정문으로 바꿔 쓸 때 빈칸에 알맞은 말을 고르세요.

6

| Raise your hands. ➡ _____ your hands. |

❶ Not raise   ❷ Raise don't   ❸ Don't raise

❹ Doesn't raise   ❺ Raise not

7

| Let's ride a bike after school. ➡ _____ ride a bike after school. |

❶ Don't let   ❷ Not let's   ❸ Let's don't

❹ Doesn't let's   ❺ Let's not

[8 – 10] 다음 우리말 뜻과 같도록 빈칸에 알맞은 말을 고르세요.

8

| 그녀는 아주 친절한 여자아이구나! ➡ _____ kind girl she is! |

❶ How   ❷ What   ❸ How a

❹ What a   ❺ What are

9

| 서둘러라, 그러지 않으면 너는 연주회에 늦을 것이다.
➡ Hurry up, _____ you will be late for the concert. |

❶ and   ❷ or   ❸ but

❹ before   ❺ after

10

| 복도에서 뛰지 마라. ➡ _____ in the hall. |

❶ Let's run   ❷ Let's not run   ❸ Run

❹ Don't run   ❺ Doesn't run

[11–12] 다음 대화의 빈칸에 알맞은 말을 고르세요.

11

> **A:** Let's _____ those flowers.
> **B:** OK. They are beautiful.

❶ draws   ❷ draw   ❸ drew

❹ will draw   ❺ drawing

12

> **A:** Kate didn't join the music club, _____?
> **B:** No, she didn't.

❶ didn't she   ❷ she did   ❸ was she

❹ wasn't she   ❺ did she

[13–14] 다음 밑줄 친 부분을 바르게 고친 것을 고르세요.

13

> You can play the piano, <u>you can</u>?

❶ can you   ❷ can't you   ❸ do you

❹ don't you   ❺ aren't you

14

> Let's make a snowman, <u>shall I</u>?

❶ will I   ❷ will you   ❸ we shall

❹ shall we   ❺ can you

[15-17] 다음 문장의 빈칸에 공통으로 알맞은 말을 고르세요.

15

> - Leave now, or you _____ miss the train.
> - Clear your desk, _____ you?

❶ shall   ❷ won't   ❸ don't

❹ should   ❺ will

16

> - What cute babies _____ are!
> - The girls were at the bookstore, weren't _____?

❶ they   ❷ we   ❸ these

❹ those   ❺ it

17

> - _____ tell a lie.
> - We need a new computer, _____ we?

❶ Does[does]   ❷ Doesn't[doesn't]   ❸ Do[do]

❹ Don't[don't]   ❺ Are[are]

[18-19] 다음 문장을 감탄문으로 바꿔 쓸 때 빈칸에 알맞은 말을 쓰세요.

18

> The beach is very beautiful.

➡ _____ _____ the beach is! 그 해변은 무척 아름답구나!

19

> He is a very strong man.

➡ _____ _____ man he is! 그는 무척 힘이 센 남자구나!

UNIT TEST 08

정답 및 해설 36~37쪽

[20 - 21] 다음 우리말 뜻과 같도록 빈칸에 알맞은 말을 쓰세요.

20 톰은 한국어를 잘 말해, 그렇지 않니?

➡ Tom speaks Korean well, _____ he?

21 그들은 내일 소풍을 가지 않을 거야, 그렇지?

➡ They won't go on a picnic tomorrow, _____ they?

[22 - 25] 주어진 말을 바르게 배열하여 문장을 쓰세요.

22 (before bed / your homework / finish / .)

➡ _____

자기 전에 네 숙제를 끝마쳐라.

23 (shall we / , / go to the movies / let's / ?)

➡ _____

내일 영화 보러 가자, 그럴래?

24 (and / see the post office / , / go straight / you'll / .)

➡ _____

곧바로 가라, 그러면 우체국이 보일 것이다.

25 (make noise / let's / not / here / .)

➡ _____

여기에서 떠들지 말자.

1 명령문과 감탄문

동사원형 ~.	1 [ ]+동사원형 ~.	명령문, 2 [ ] ~.	명령문, 3 [ ] ~.
~해라.	~하지 마라.	…해라, 그러면 ~.	…해라, 그러지 않으면 ~.

4 [ ]+(a/an)+형용사+명사(+주어+동사)!	5 [ ]+형용사[부사](+주어+동사)!
매우 ~한 …이구나!	…이 매우 ~하구나!

2 부가 의문문

1 [ ] 평서문,	be동사/do동사/조동사+주어(대명사)?
2 [ ] 평서문,	be동사/do동사/조동사의 부정형+주어(대명사)?
명령문[부정 명령문],	3 [ ] you?
제안문,	4 [ ] we?

Check Up 그림을 보고, 알맞은 말을 찾아 다음 대화의 빈칸에 쓰세요.

jump   will   what   let's

[1 – 3] 다음 대화의 빈칸에 알맞은 말을 고르세요.

1

> **A:** _____ you like to fly a model airplane?
> **B:** Yes, I'd like to.

❶ Can　　❷ Will　　❸ Shall　　❹ Would　　❺ May

2

> **A:** _____ go to the beach this weekend?
> **B:** That sounds good.

❶ Were you　　❷ Did you　　❸ Do you　　❹ Shall we　　❺ Must we

3

> **A:** _____ you pass me the fork?
> **B:** Sure.

❶ May　　❷ Do　　❸ Shall　　❹ Should　　❺ Will

[4 – 6] 다음 중 잘못된 문장을 고르세요.

4　❶ You should go to the dentist.　　❷ You had better be careful.
　　❸ We should not stay up late.　　❹ Let's not ride a skateboard.
　　❺ You had not better eat the pizza.

5　❶ Don't worry about the test.　　❷ What cute puppies they are!
　　❸ How a pretty flower this is!　　❹ Drink this juice, or you'll be thirsty.
　　❺ Be quiet in the library.

6 ❶ It's cold today, isn't it?   ❷ Let's go swimming, shall we?

❸ You don't have a dog, do you?   ❹ Kate didn't join the art club, didn't she?

❺ He can play volleyball, can't he?

[7 – 9] 다음 우리말 뜻과 같도록 빈칸에 알맞은 말을 고르세요.

7

> 이 길로 가라, 그러면 너는 도서관을 찾을 것이다.
> ➧ Go this way, _____ you will find the library.

❶ or   ❷ and   ❸ after   ❹ but   ❺ before

8

> 너는 일찍 잠자리에 드는 것이 좋겠다. ➧ You _____ go to bed early.

❶ can   ❷ will   ❸ should   ❹ shall   ❺ must not

9

> 나는 새 신발을 사고 싶다. ➧ I _____ like to buy new shoes.

❶ will   ❷ shall   ❸ don't   ❹ had better   ❺ would

[10 – 11] 다음 문장의 빈칸에 공통으로 알맞은 말을 고르세요.

10

> • _____ we go on a picnic?
> • Let's study math together, _____ we?

❶ Will[will]   ❷ Shall[shall]   ❸ May[may]

❹ Do[do]   ❺ Don't[don't]

11

> • I _____ write a letter to Jane tomorrow.
>
> • Don't throw away the trash here, _____ you?

❶ should   ❷ can   ❸ will

❹ shall   ❺ may

[12 - 13] 다음 밑줄 친 부분을 바르게 고친 것이 순서대로 짝지어진 것을 고르세요.

12

> • Leave now, <u>and</u> you'll be late for the concert.
>
> • You <u>have</u> better not swim in this river.

❶ or – had   ❷ but – had   ❸ or – has

❹ and – do   ❺ or – have to

13

> • <u>What</u> beautiful the mountains are!
>
> • Your father can't fix the car, <u>does</u> he?

❶ How – can't   ❷ Very – can   ❸ How – doesn't

❹ Very – isn't   ❺ How – can

[14 - 15] 다음 중 짝지어진 대화가 <u>어색한</u> 것을 고르세요.

14 ❶ A: Will you open the bottle?   B: Of course.

❷ A: Would you like to see a musical?   B: Yes, I'd love to.

❸ A: I have a cold.   B: You had better stay at home.

❹ A: Shall we play chess now?   B: No, let's not. I'm not busy.

❺ A: You should feed the fish.   B: OK, Mom.

15 **❶ A:** Let's build a sandcastle.　　　　**B:** OK.

　　❷ A: Clear your desk now, will you?　　**B:** Yes, I will.

　　❸ A: What a tall tree that is!　　　　　**B:** Yes, it's not tall.

　　❹ A: That's a nice house, isn't it?　　　**B:** Yes, it is.

　　❺ A: You don't like scary movies, do you?　**B:** No, I don't.

[16 – 18] 다음 우리말 뜻과 같도록 문장을 완성하세요.

16 나는 경찰관이 되고 싶다.

　➡ I _____ like _____ become a police officer.

17 저것은 아주 큰 배구나!

　➡ _____ _____ big ship that is!

18 침대 위에서 뛰지 말자.

　➡ _____ _____ jump on the bed.

[19 – 20] 주어진 말을 바르게 배열하여 문장을 쓰세요.

19 (waste water / not / you / should / .)

　➡ _____

　　너는 물을 낭비하지 않는 것이 좋겠다.

20 (will you / to your little brother / be kind / , / ?)

　➡ _____

　　네 남동생에게 친절하게 대해라, 알았지?

FINAL TEST 01

[1-2] 다음 중 밑줄 친 부분이 잘못된 문장을 고르세요.

1   ❶ He <u>is</u> a pilot.   ❷ They <u>are</u> my classmates.

   ❸ Julie <u>rides</u> a bike on weekends.   ❹ I <u>do</u> my homework after dinner.

   ❺ My father <u>have</u> a new computer.

2   ❶ It <u>will be</u> cloudy this afternoon.   ❷ They <u>will go</u> to the aquarium.

   ❸ Tom is going <u>to plays</u> basketball.   ❹ She <u>will take</u> piano lessons.

   ❺ We are going <u>to see</u> a movie.

[3-5] 다음 문장의 빈칸에 알맞은 말을 고르세요.

3

| I _____ to the art museum last weekend. |

   ❶ go   ❷ will go   ❸ goes

   ❹ went   ❺ am going

4

| We _____ at the mountain yesterday. |

   ❶ were   ❷ are   ❸ was

   ❹ is   ❺ will be

5

| The monkey _____ a banana now. |

   ❶ was eating   ❷ are eating   ❸ is eating

   ❹ were eating   ❺ does eating

[6-8] 다음 문장을 부정문으로 바꿔 쓸 때 빈칸에 알맞은 말을 고르세요.

6

> Susan's mother is a fashion designer.
> ➡ Susan's mother _____ a fashion designer.

❶ not is   ❷ doesn't   ❸ aren't

❹ isn't   ❺ am not

7

> They saw the birds in the tree.
> ➡ They _____ the birds in the tree.

❶ weren't saw   ❷ saw didn't   ❸ didn't saw

❹ didn't see   ❺ doesn't see

8

> I am going to send a letter to my grandmother.
> ➡ I am _____ a letter to my grandmother.

❶ not going to send   ❷ going to not send   ❸ don't going to send

❹ going to send not   ❺ going not to send

[9-11] 다음 대화의 빈칸에 들어갈 말이 순서대로 바르게 짝지어진 것을 고르세요.

9

> A: _____ Brian go skating on Saturdays?
> B: _____ , he does.

❶ Do – Yes   ❷ Is – Yes   ❸ Does – Yes

❹ Do – No   ❺ Does – No

10

> **A:** _____ you visit your uncle's farm last Sunday?
> **B:** No, I _____ .

❶ Did – did   ❷ Do – don't   ❸ Did – wasn't

❹ Was – wasn't   ❺ Did – didn't

11

> **A:** Will Kevin and Molly take swimming lessons?
> **B:** _____, they _____. They will take skiing lessons.

❶ Yes – will   ❷ No – won't   ❸ Yes – won't

❹ No – will   ❺ No – don't

[12-13] 다음 밑줄 친 부분의 의미가 나머지 넷과 다른 문장을 고르세요.

12 ❶ I <u>can</u> fly a kite.   ❷ <u>Can</u> she ride a skateboard?

❸ He <u>can</u> lift the rock.   ❹ <u>Can</u> you lend me your ball?

❺ <u>Can</u> they climb the mountain?

13 ❶ We <u>must</u> be quiet here.   ❷ You <u>must</u> turn off the light.

❸ She <u>must</u> be sick.   ❹ You <u>must</u> listen to your teacher.

❺ He <u>must</u> finish his homework before bed.

[14-15] 빈칸에 들어갈 말이 순서대로 바르게 짝지어진 것을 고르세요.

14

> • My family _____ travel next month. 우리 가족은 다음 달에 여행을 갈지도 모른다.
> • You _____ wash your hands first. 너는 먼저 손을 씻는 것이 좋겠다.

❶ must – can   ❷ may – should   ❸ should – may

❹ can – will   ❺ will – may

15

> • _____ pick the flowers. 그 꽃들을 꺾지 마라.
> • _____ an exciting book this is! 이것은 매우 재미있는 책이구나!

❶ Don't – What ❷ Shall – How ❸ Let's not – What

❹ Do – What ❺ Let's – How

[16 – 18] 다음 우리말 뜻과 같도록 주어진 말을 사용하여 문장을 완성하세요.

16 너는 매일 아침 운동할 거니? (exercise)

➡ _____ _____ going _____ _____ every morning?

17 음악을 들으시겠어요? (listen)

➡ _____ you like _____ _____ to music?

18 이 딸기들은 매우 맛있어, 그렇지 않니? (delicious)

➡ These strawberries are very _____, _____ _____?

[19 – 20] 주어진 말을 바르게 배열하여 문장을 쓰세요.

19 (for her parents / Grace / buying presents / was / .)

➡ _____

그레이스는 자기 부모님께 드릴 선물을 사고 있었다.

20 (to the amusement park / let's / the subway / take / .)

➡ _____

지하철을 타고 놀이공원에 가자.

FINAL TEST 02

[1 – 2] 다음 중 올바른 문장을 고르세요.

1 ❶ I were at home this morning. ❷ Jill reads a book yesterday.

   ❸ They was at the mall last night. ❹ He didn't go camping last Sunday.

   ❺ We has fun at the zoo.

2 ❶ She can makes a sandwich. ❷ I am able not to play tennis.

   ❸ We not could cross the river. ❹ The boy cannot climbs the tree.

   ❺ They are able to move the boxes.

[3 – 5] 다음 문장의 빈칸에 알맞은 말이 순서대로 바르게 짝지어진 것을 고르세요.

3
> My sister _____ apples, but she _____ like tomatoes.

   ❶ like – doesn't   ❷ likes – doesn't   ❸ liked – wasn't

   ❹ likes – isn't   ❺ likes – don't

4
> They _____ playing soccer now. They are _____ tennis.

   ❶ isn't – playing   ❷ aren't – play   ❸ don't – playing

   ❹ aren't – playing   ❺ weren't – play

5
> Harry _____ join the music club. He will _____ the art club.

   ❶ won't – join   ❷ not will – joins   ❸ will not – joining

   ❹ doesn't will – join   ❺ won't – joins

[6-8] 다음 의문문에 대한 대답으로 알맞은 것을 고르세요.

6

> Do they know your phone number?

❶ Yes, they are.　　❷ No, they aren't.　　❸ Yes, they do.

❹ No, they doesn't.　　❺ Yes, they did.

7

> Did Jenny find her cell phone?

❶ Yes, she was.　　❷ No, she wasn't.　　❸ Yes, she does.

❹ No, she didn't.　　❺ No, she doesn't.

8

> Are you going to go sledding this Saturday?

❶ No, I am.　　❷ Yes, I am.　　❸ No, I don't.

❹ Yes, I'm not.　　❺ Yes, I do.

[9-10] 다음 대화의 빈칸에 들어갈 말이 순서대로 바르게 짝지어진 것을 고르세요.

9

> **A:** Can your sister _____ cookies?
> **B:** No, she _____ .

❶ bake – doesn't　　❷ bakes – can　　❸ baking – can't

❹ bakes – not can　　❺ bake – can't

10

> **A:** Was your father _____ a newspaper then?
> **B:** Yes, he _____ .

❶ reads – wasn't　　❷ reading – was　　❸ read – was

❹ reading – did　　❺ reading – wasn't

[11 – 12] 다음 문장의 빈칸에 공통으로 알맞은 말을 고르세요.

11

- Max, _____ run in the living room.
- You have a new camera, _____ you?

❶ doesn't　　❷ do　　❸ have　　❹ does　　❺ don't

12

- _____ you lend me your comb?
- Take care of the puppy, _____ you?

❶ Shall[shall]　　❷ Will[will]　　❸ Should[should]

❹ Must[must]　　❺ Don't[don't]

[13 – 15] 다음 빈칸에 들어갈 말이 순서대로 바르게 짝지어진 것을 고르세요.

13

- _____ I carry your bag? 내가 네 가방을 들어 줄까?
- You _____ buy the soccer ball. 너는 그 축구공을 사도 된다.

❶ Shall – may　　❷ Can – must　　❸ Shall – shouldn't

❹ Will – can't　　❺ May – will

14

- We _____ water the plants. 우리는 식물에 물을 주어야 한다.
- You _____ not eat too much chocolate.
  너는 초콜릿을 너무 많이 먹지 않는 것이 좋겠다.

❶ will – should　　❷ can – will　　❸ should – have better

❹ must – had better　　❺ mustn't – can

15

- _____ tall the buildings are! 그 건물들은 매우 높구나!
- Eat a lot of vegetables, _____ you will be healthy.
  채소를 많이 먹어라. 그러면 너는 건강해질 것이다.

❶ How – or   ❷ What – but   ❸ How – and

❹ What – and   ❺ What – after

[16 - 18] 다음 우리말 뜻과 같도록 주어진 말을 사용하여 문장을 완성하세요.

16 우리는 오늘 교복을 입을 필요가 없다. (wear)

➡ We _____ have _____ _____ school uniforms today.

17 네 어머니는 은행에서 일하시니? (work)

➡ _____ your mother _____ in a bank?

18 나는 이번 주말에 부모님을 도와 드릴 것이다. (help)

➡ I'm _____ _____ _____ my parents this weekend.

[19 - 20] 주어진 말을 바르게 배열하여 문장을 쓰세요.

19 (the door / should / you / lock / .)

➡ _____

너는 문을 잠그는 것이 좋겠다.

20 (like to / ride / would you / a roller coaster / ?)

➡ _____

롤러코스터를 타시겠어요?

동사의 불규칙 과거형

동사원형	과거형	동사원형	과거형
be ~이다	was/were	become ~이 되다	became
begin 시작하다	began	blow 불다	blew
break 깨다, 부수다	broke	bring 가져오다	brought
build 짓다, 건설하다	built	buy 사다	bought
catch 잡다, 받다	caught	choose 고르다	chose
come 오다	came	cut 베다, 자르다	cut
do 하다	did	draw 그리다	drew
drink 마시다	drank	drive 운전하다	drove
eat 먹다	ate	fall 떨어지다	fell
feed 먹이다	fed	feel 느끼다	felt
fight 싸우다	fought	find 찾다	found
fit 맞다	fit	fly 날다	flew
forget 잊다	forgot	get 얻다, 받다	got
give 주다	gave	go 가다	went
grow 자라다	grew	have 가지다	had
hear 듣다	heard	hide 감추다, 숨기다	hid
hit 때리다	hit	hold 잡고 있다, 붙들다	held
hurt 다치게 하다	hurt	keep 유지하다	kept
know 알다, 알고 있다	knew	lead 안내하다	led
leave 떠나다	left	lend 빌려 주다	lent
lie 눕다	lay	lose 잃어버리다, 지다	lost
make 만들다	made	meet 만나다	met
pay 지불하다	paid	put 놓다	put
quit 그만두다	quit	read 읽다	read
ride 타다	rode	ring 전화하다	rang
run 달리다	ran	say 말하다	said
see 보다	saw	sell 팔다	sold
send 보내다	sent	set 놓다	set
shake 흔들다	shook	shoot 쏘다	shot
shut 닫다	shut	sing 노래하다	sang
sit 앉다	sat	sleep 자다	slept
speak 말하다	spoke	stand 서다	stood
steal 훔치다	stole	sweep 쓸다	swept
swim 수영하다	swam	take 가져가다	took
teach 가르치다	taught	tear 찢다	tore
tell 말하다	told	think 생각하다	thought
throw 던지다	threw	understand 이해하다	understood
wake (잠에서) 깨다	woke	wear 입다	wore
win 이기다	won	write 쓰다	wrote

Grammar, ZAP!

ANSWER KEY

심화 1

01 현재 시제

만화 해석   10쪽

서니: 저는 스노위에게 매일 밥을 줘요.
아빠: 잘했다!
잭: 저는 블래키에게 매일 밥을 줘요!
아빠: 아, 피곤하구나.

Grammar Walk!   11쪽

A 1 am   2 is   3 is
   4 are   5 are   6 is
   7 are   8 like   9 helps
   10 feed   11 brushes   12 flies
   13 exercises   14 have   15 has

해설 **A** 1 나는 목이 마르다.
   2 그는 경찰관이다.
   3 그녀는 피곤하다.
   4 그들은 우리 반 친구들이다.
   5 우리 부모님은 거실에 계신다.
   6 이 새는 무척 귀엽다.
   7 우리는 오늘 집에 있다.
   8 나는 바나나를 좋아한다.
   9 하나는 매일 자기 어머니를 도와 드린다.
   10 나는 저녁에 우리 고양이에게 먹이를 준다.
   11 그녀는 저녁 식사 후에 이를 닦는다.
   12 그는 일요일에 모형 비행기를 날린다.
   13 우리 오빠는 매일 아침 운동을 한다.
   14 우리는 커다란 텐트를 가지고 있다.
   15 토니는 멋진 스케이트보드를 가지고 있다.

02 현재 시제의 부정문과 의문문

만화 해석   12쪽

친구: 너는 고양이가 있니?
잭: 응, 있어. 우리 고양이는 나를 무척 좋아해!
친구: 하하! 네 고양이는 너를 좋아하지 않는구나.

Grammar Walk!   13쪽

A 1 ❷   2 ❶   3 ❶   4 ❶
   5 ❷   6 ❶   7 ❷   8 ❶
   9 ❷

B 1 **c.**   2 **a.**   3 **d.**   4 **b.**

해설 **A** 1 너는 못된 학생이 아니다.
   2 나는 지금 아프지 않다.
   3 그녀는 도서관에 있지 않다.
   4 그들은 액션 영화를 좋아하지 않는다.
   5 우리 언니는 파인애플을 먹지 않는다.
   6 너[너희]는 욕실에 있니?
   7 너희 오빠는 지금 바쁘니?
   8 너[너희]는 매일 학교에 걸어가니?
   9 그는 저녁 식사 후에 TV를 보니?

B 1 너는 피곤하니? – c. 아니, 그렇지 않아.
   2 그녀는 수영을 잘하니? – a. 응, 그래.
   3 그들은 매일 아침 산책을 하니? – d. 응, 그래.
   4 그는 갈색 머리니? – b. 아니, 그렇지 않아.

Grammar Run!   14~15쪽

A 1 are   2 is   3 am
   4 is   5 are   6 gets
   7 like   8 has   9 studies
   10 play   11 have   12 exercises
   13 flies   14 feeds   15 does

B 1 not   2 isn't   3 don't
   4 isn't   5 doesn't   6 don't
   7 doesn't   8 Are   9 Is
   10 aren't   11 isn't   12 Does
   13 Do   14 do   15 doesn't

해설 **A** 1 케이트와 나는 소방서에 있다.
   2 그녀는 우리 반 친구이다.
   3 나는 오늘 바쁘다.
   4 우리 아버지는 힘이 세시다.
   5 나무에 다람쥐 두 마리가 있다.
   6 우리 할머니는 아침에 일찍 일어나신다.
   7 나는 코미디를 좋아한다.
   8 보라는 새 운동화를 가지고 있다.
   9 남수는 매일 영어를 공부한다.
   10 그들은 주말마다 배드민턴을 친다.
   11 우리는 12시에 점심 식사를 한다.
   12 그녀는 저녁에 운동한다.
   13 그 모형 비행기는 하늘에서 매우 빠르게 난다.
   14 그는 오후에 자기 개에게 먹이를 준다.

15 우리 언니는 방과 후에 숙제를 한다.

Grammar Jump!

16~17쪽

A
1 She is
2 I am
3 These are
4 Those books aren't
5 It isn't / It's not
6 Kevin and I aren't
7 He likes
8 A rabbit has
9 We want
10 He doesn't
11 We don't
12 They don't

B
1 it is
2 they aren't
3 Is, isn't
4 Are, am
5 I don't
6 he does
7 I[we] don't
8 they do
9 Does, does
10 Do, do
11 Do, don't
12 Does, doesn't

해설 **A** 1 나는 경찰관이다. → 그녀는 경찰관이다.
2 그는 지금 배가 고프다. → 나는 지금 배가 고프다.
3 이것은 내 펜이다. → 이것들은 내 펜이다.
4 저 책은 재미있지 않다. → 저 책들은 재미있지 않다.
5 그것들은 맛있는 사과가 아니다.
→ 그것은 맛있는 사과가 아니다.
6 그는 오늘 슬프지 않다.
→ 케빈과 나는 오늘 슬프지 않다.
7 나는 공포 영화를 좋아한다.
→ 그는 공포 영화를 좋아한다.
8 토끼들은 귀가 길다. → 토끼는 귀가 길다.
9 그 남자아이는 후식으로 아이스크림을 원한다.
→ 우리는 후식으로 아이스크림을 원한다.
10 그들은 밤에 TV를 보지 않는다.
→ 그는 밤에 TV를 보지 않는다.
11 앤은 피아노 교습을 받지 않는다.
→ 우리는 피아노 교습을 받지 않는다.
12 마이크는 일요일에 도서관에 가지 않는다.
→ 그들은 일요일에 도서관에 가지 않는다.

B 1 *A*: 너희 개는 빠르니?
B: 응, 그래.
2 *A*: 그들은 미국 출신이니?
B: 아니, 그렇지 않아. 그들은 캐나다 출신이야.
3 *A*: 가방에 책이 있니? / *B*: 아니, 그러지 않아.
4 *A*: 너는 6학년이니? / *B*: 응, 그래.
5 *A*: 너는 자전거를 가지고 있니?

B: 아니, 그러지 않아.
6 *A*: 제이슨은 보통 10시에 잠자리에 드니?
B: 응, 그래.
7 *A*: 너[너희]는 새 프린터가 필요하니?
B: 아니, 그러지 않아.
8 *A*: 그들은 매일 아침 줄넘기를 하니? / *B*: 응, 그래.
9 *A*: 메리는 자기 조부모님을 자주 찾아뵙니?
B: 응, 그래.
10 *A*: 네 부모님은 꽃을 좋아하시니? / *B*: 응, 그러셔.
11 *A*: 그들은 매일 컴퓨터 게임을 하니?
B: 아니, 그러지 않아.
12 *A*: 그 여자아이는 머리가 기니?
B: 아니, 그렇지 않아. 그녀는 머리가 짧아.

Grammar Fly!

18~19쪽

A
1 This isn't[is not] a new computer.
2 We aren't[are not] in the yard. / We're not in the yard.
3 I'm[I am] not in the fifth grade.
4 My father doesn't[does not] work in a bank.
5 Nina and her brother don't[do not] drink milk.
6 Paul's family doesn't[does not] go to the park on Sundays.
7 Is your uncle strong?
8 Are there a lot of ducks in the pond?
9 Do they live near the river?
10 Does she walk her dog in the afternoon?
11 Do you play the piano after school?
12 Does Jake have new in-line skates?

B
1 I am a good swimmer.
2 This cake is very delicious.
3 We jump rope every morning.
4 He helps his parents on weekends.
5 My mother isn't at home now.
6 My grandparents don't like cats.
7 They aren't in the library.
8 Bill doesn't have a skateboard.
9 Is he busy in the afternoon?
10 Are there many apples in the box?
11 Does she read a book every day?
12 Do you drink coffee?

해설 **A** **1** 이것은 새 컴퓨터이다.
→ 이것은 새 컴퓨터가 아니다.

2 우리는 마당에 있다.
→ 우리는 마당에 있지 않다.

3 나는 5학년이다.
→ 나는 5학년이 아니다.

4 우리 아버지는 은행에서 일하신다.
→ 우리 아버지는 은행에서 일하시지 않는다.

5 니나와 그녀의 남동생은 우유를 마신다.
→ 니나와 그녀의 남동생은 우유를 마시지 않는다.

6 폴의 가족은 일요일마다 공원에 간다.
→ 폴의 가족은 일요일마다 공원에 가지는 않는다.

7 너희 삼촌은 힘이 세시다.
→ 너희 삼촌은 힘이 세시니?

8 연못에 오리들이 많이 있다.
→ 연못에 오리들이 많이 있니?

9 그들은 강 근처에 산다.
→ 그들은 강 근처에 사니?

10 그녀는 오후에 자기 개를 산책시킨다.
→ 그녀는 오후에 자기 개를 산책시키니?

11 너는 방과 후에 피아노를 친다.
→ 너는 방과 후에 피아노를 치니?

12 제이크는 새 인라인스케이트를 가지고 있다.
→ 제이크는 새 인라인스케이트를 가지고 있니?

Grammar & Writing
20~21쪽

A **1** gets up
2 has breakfast
3 goes to school
4 takes ballet lessons
5 does her homework
6 goes to bed

B **1** Is, is
2 Does, Yes, he does
3 Is, No, she isn't
4 Does, No, she doesn't
5 Is, No, he isn't

해설 **A** get up 일어나다, have breakfast 아침 식사를 하다, go to school 학교에 가다, take ballet lessons 발레 교습을 받다, do her homework 그녀의 숙제를 하다, go to bed 잠자리에 들다
1 지민이는 아침 6시 30분에 일어난다.
2 그녀는 7시 30분에 아침 식사를 한다.

3 그녀는 8시에 학교에 간다.
4 그녀는 오후 4시 30분에 발레 교습을 받는다.
5 그녀는 저녁 8시에 숙제를 한다.
6 그녀는 10시에 잠자리에 든다.

B dog 개, hamster 햄스터
1 은지: 빙빙은 중국 출신이니?
준호: 응, 그래.
2 은지: 폴은 뉴욕에 사니?
준호: 응, 그래.
3 은지: 수잔은 미국 출신이니?
준호: 아니, 그렇지 않아. 그녀는 영국 출신이야.
4 은지: 수잔은 애완동물이 있니?
준호: 아니, 그러지 않아.
5 은지: 데이비드는 열세 살이니?
준호: 아니, 그렇지 않아. 그는 열네 살이야.

UNIT TEST · 01
22~26쪽

1 ❸	2 ❶	3 ❸	4 ❶
5 ❸	6 ❷	7 ❹	8 ❹
9 ❸	10 ❹	11 ❸	12 ❹
13 ❺	14 ❷	15 ❹	16 ❺

17 ❷
18 I[we] don't
19 she does
20 Are, No
21 brushes
22 don't exercise
23 isn't from
24 Is, delicious
25 Do you want

해설

1 「자음+y」로 끝나는 동사의 3인칭 단수 현재형은 -y를 -i로 바꾸고 -es를 붙인다. 따라서 ❸은 flys가 아니라 flies가 되어야 한다.
❶ 좋아하다 ❷ 솔질[빗질/칫솔질]하다
❸ fly – flies 날다, 날리다 ❹ 가지다 ❺ 가다

2 -ch로 끝나는 동사의 3인칭 단수 현재형은 동사원형 뒤에 -es를 붙인다. 따라서 ❶ watch의 3인칭 단수 현재형은 watches가 되어야 한다.
❶ watch – watches 보다, 지켜보다 ❷ 놀다, (운동·게임 등을) 하다 ❸ 살다 ❹ 돕다, 도와주다 ❺ 하다

3 주어 My parents가 복수명사이고, now(지금)로 보아 현재 시제여야 하므로 빈칸에는 be동사 are가 알맞다.
• 우리 부모님은 지금 거실에 계신다.

4 주어가 1인칭인 I이고 현재의 습관을 나타내고 있으므로 빈칸에는 현재형인 feed가 알맞다.
• 나는 매일 우리 개에게 먹이를 준다.

4 정답 및 해설

5 주어인 Bomi가 3인칭 단수이고 현재의 습관을 나타내고 있으므로 빈칸에는 study의 3인칭 단수 현재형인 studies가 알맞다.
· 보미는 방과 후에 영어를 공부한다.

6 be동사 현재형의 부정문은 be동사 뒤에 not을 붙이므로 is not 또는 is not의 줄임말인 isn't가 알맞다.
· 축구 경기는 무척 재미있다. → 축구 경기는 썩 재미있지 않다.

7 일반동사 현재형의 부정문은 「don't[doesn't]+동사원형」으로 쓴다. 주어가 We로 1인칭 복수이므로 빈칸에는 don't가 알맞다.
· 우리는 버스를 타고 학교에 간다.
  → 우리는 버스를 타고 학교에 가지 않는다.

8 be동사의 현재형으로 시작하는 의문문에는 be동사의 현재형을 사용해서 「Yes, 주어(대명사)+be동사의 현재형.」 또는 「No, 주어(대명사)+be동사의 현재형+not.」으로 대답한다. 그리고 '너는(you)'으로 물어볼 때는 '나는(I)'으로 대답하는 것이 자연스러우므로, Yes, I am. 또는 No, I'm not.이라는 대답이 알맞다.
· 제인, 너는 지금 바쁘니? / 아니, 그렇지 않아.

9 Do 또는 Does로 시작하는 의문문에는 do 또는 does를 사용해서 「Yes, 주어(대명사)+do[does].」 또는 「No, 주어(대명사)+don't[doesn't].」로 대답한다. 주어가 3인칭 단수인 he이므로 Yes, he does. 또는 No, he doesn't.라는 대답이 알맞다.
· 그는 주말마다 배드민턴을 치니? / 응, 그래.

10 ❹에서 주어인 your parents가 복수이므로 Is가 아니라 Are가 되어야 한다.
❶ 나는 피곤하지 않다.
❷ 나무에 새 한 마리가 있다.
❸ 낸시와 나는 공원에 있다.
❹ Are your parents at home now? 너희 부모님은 지금 집에 계시니?
❺ 저것은 네 장갑이니?

11 ❸에서 주어인 We가 복수이므로 doesn't가 아니라 don't가 되어야 한다.
❶ 그는 야구를 좋아한다.
❷ 너는 피아노 교습을 받니?
❸ We don't have a tent. 우리는 텐트가 없다.
❹ 그들은 샌드위치를 원하지 않는다.
❺ 네 여동생은 머리가 기니?

12 ❹에서 주어인 Nicole이 3인칭 단수이므로, do가 아니라 does를 사용하여 Yes, she does.로 대답해야 한다.
❶ A: 너는 6학년이니?/ B: 응, 그래.
❷ A: 너는 새 자전거를 원하니? / B: 아니, 그러지 않아.
❸ A: 이 근처에 은행이 있니? / B: 응, 있어.
❹ A: 니콜은 매일 아침 줄넘기를 하니?
  B: Yes, she does. 응, 그래.
❺ A: 그들은 착한 학생이니? / B: 아니, 그렇지 않아.

13 첫 번째 문장인 be동사 평서문에서 3인칭 단수인 주어 She와 짝이 되는 be동사는 is이고, 두 번째 문장인 일반동사 의문문에서 2인칭인 주어 you와 짝이 되는 동사는 do이다.
· 그녀는 이곳에 새로 온 학생이다.
· 너는 밤에 TV를 보니?

14 첫 번째 문장에서 주어인 Suho가 3인칭 단수이므로 drink의 3인칭 단수 현재형인 drinks가 알맞다. 그리고 두 번째 문장에서 doesn't 뒤에는 동사원형이 오므로 drink가 알맞다.
· 수호는 매일 우유를 마신다.
· 그는 주스를 마시지 않는다.

15 주어가 3인칭 단수인 일반동사의 부정문은 「주어+doesn't+동사원형 ~.」이다. 문장의 주어가 3인칭 단수인 My mother이므로 don't eats를 doesn't eat로 고쳐 써야 한다.
· My mother doesn't eat ice cream. 우리 어머니는 아이스크림을 드시지 않는다.

16 주어가 복수인 일반동사의 부정문은 「주어+don't+동사원형 ~.」의 형태이다. 주어가 1인칭 복수인 We이므로 doesn't play를 don't play로 고쳐 써야 한다.
· We don't play the piano at night. 우리는 밤에 피아노를 치지 않는다.

17 ❶에서 These가 복수이므로 is가 아니라 are가 알맞고, ❸에서 a duck이 단수이므로 are가 아니라 is가 알맞다. 또한 ❹에서 He가 3인칭 단수이므로 don't가 아니라 doesn't가 알맞고, ❺에서 She가 3인칭 단수이므로 need가 아니라 needs가 알맞다.
❶ These are my books. 이것들은 내 책이다.
❷ 그들은 저녁에 산책한다.
❸ There is a duck in the pond. 연못에 오리 한 마리가 있다.
❹ He doesn't get up early in the morning. 그는 아침에 일찍 일어나지 않는다.
❺ She needs a new printer. 그녀는 새 프린터가 필요하다.

18 Do로 시작하는 의문문에는 「Yes, 주어(대명사)+do.」 또는 「No, 주어(대명사)+don't.」로 대답한다. 그런데 의문문의 주어가 you이면 I 또는 we로 대답하므로 빈칸에는 I don't 또는 we don't가 알맞다.
· A: 너[너희]는 고양이를 가지고 있니?
  B: 아니, 그러지 않아.

19 Do 또는 Does로 시작하는 의문문에는 do 또는 does를 사용해서 「Yes, 주어(대명사)+do[does].」 또는 「No, 주어(대명사)+don't[doesn't].」로 대답한다. 그런데 의문문의 주어가 3인칭 단수 여성(your sister)이므로, Yes, she does. 또는 No, she doesn't.라는 대답이 알맞다.
· A: 너희 누나는 액션 영화를 좋아하니? / B: 응, 그래.

20 주어가 they이므로 첫 번째 빈칸에 Are를 써서 be동사 의문문을 만든다. aren't로 대답하고 있으므로 두 번째 빈칸에는 No가 알맞다.
· A: 그들은 경찰관이니? / B: 아니, 그렇지 않아.

21 주어인 The boy가 3인칭 단수이므로 brush에 -es를 붙인 brushes를 써야 한다.

22 주어인 My parents가 복수이므로 「don't+동사원형」으로 써야 한다.

23 주어가 3인칭 단수인 경우 be동사의 부정문은 주어 뒤에 is not 또는 isn't를 쓴다. Brian은 3인칭 단수이므로 isn't from이 알맞다.

24 '~이니?', '~하니?'라고 물어볼 때는 be동사의 의문문인 「Am/Are/Is+주어 ~?」를 사용한다. 주어인 this pizza가 3인칭 단수이므로 빈칸에는 Is와 delicious가 알맞다.

25 일반동사의 의문문은 「Do[Does]+주어+동사원형 ~?」으로 쓴다. 주어가 '너'인 you이므로 Do you want를 써야 한다.

Wrap Up
27쪽

1 1 am   2 are   3 is   4 isn't
    5 Am   6 Are   7 Is

2 1 -s   2 -es   3 don't   4 doesn't
    5 Do   6 Does

Check up
is, Do, play, doesn't

만화 해석
서니: 우아, 그는 훌륭한 축구 선수야!
서니: 너는 축구 잘하니?
잭: 응, 그래.
잭: 아이쿠!
스노위: 잭은 축구를 잘 못해.

02 과거 시제

01 과거 시제

만화 해석
30쪽
우리는 어제 동물원에 있었다.
나는 거기에서 못된 원숭이를 봤다.
서니: 아야!

Grammar Walk!
31쪽

A 1 was   2 were   3 looked
    4 liked   5 had   6 played
    7 made   8 studied 9 cooked
    10 shopped 11 went   12 cleaned
    13 helped 14 moved   15 lived
    16 arrived 17 flew   18 opened

19 wore	20 cut	21 saw
22 worked	23 fed	24 dried
25 drank	26 called	27 clapped
28 caught	29 sent	30 read

해설 **A** 1 ~이다, ~에 있다   2 ~이다, ~에 있다.
      3 보다   4 좋아하다
      5 가지다, 먹다
      6 놀다, (경기·게임 등을) 하다
      7 만들다   8 공부하다
      9 요리하다   10 사다, 쇼핑하다
      11 가다   12 청소하다
      13 돕다   14 옮기다, 이사하다
      15 살다   16 도착하다
      17 날다, 날리다   18 열다
      19 입고[쓰고/끼고/신고] 있다
      20 자르다   21 보다
      22 일하다   23 먹이를 주다
      24 말리다   25 마시다
      26 부르다, 전화하다   27 박수를 치다
      28 잡다, 받다   29 보내다
      30 읽다

02 과거 시제의 부정문과 의문문

만화 해석
32쪽
엄마 : 네 방 청소했니?
잭 : 네, 했어요.
엄마 : 이런, 넌 방 청소를 하지 않았잖아!

Grammar Walk!
33쪽

A 1 wasn't   2 weren't 3 wasn't
    4 didn't   5 make   6 Were
    7 Was   8 Did   9 have

B 1 **b.**   2 **d.**   3 **a.**   4 **c.**

해설 **A** 1 그녀는 작년에 내 가장 친한 친구가 아니었다.
      2 우리는 그때 행복하지 않았다.
      3 나는 그 콘서트에 늦지 않았다.
      4 그들은 어젯밤에 TV를 보지 않았다.
      5 샘은 모형 비행기를 만들지 않았다.
      6 너는 어제 수영장에 있었니?
      7 그녀는 오늘 아침에 바빴니?
      8 그들은 지난달에 부산으로 이사했니?
      9 케이트는 오늘 너와 점심 식사를 했니?

B 1 그는 그때 아팠니? – b. 아니, 그렇지 않았어.
   2 너는 이를 닦았니? – d. 응, 그랬어.
   3 그들은 농부였니? – a. 응, 그랬어.
   4 조던이 어젯밤에 네게 전화했니?
      – c. 아니, 그러지 않았어.

Grammar Run! 34~35쪽

A 1 was 2 were 3 was
   4 made 5 called 6 went
   7 carried 8 drank 9 read
   10 lived 11 looked 12 arrived
   13 got 14 had 15 caught

B 1 was 2 cooked 3 visited
   4 were 5 fed 6 found
   7 had 8 sent 9 played
   10 wore 11 did 12 studied

해설 **A** 1 나는 지난 일요일에 온종일 바빴다.
   2 샐리와 해리는 그때 서점에 있었다.
   3 어제는 날씨가 화창했다.
   4 우리 어머니는 내게 샌드위치를 만들어 주셨다.
   5 그는 오늘 오후에 자기 할머니께 전화를 드렸다.
   6 우리는 지난 토요일에 동물원에 갔다.
   7 나는 어제 무거운 상자들을 날랐다.
   8 그 아기는 우유를 조금 마셨다.
   9 존과 나는 어제 책을 읽었다.
   10 우리 가족은 그때 강 근처에 살았다.
   11 그들은 하늘의 별들을 보았다.
   12 그 기차는 11시에 도착했다.
   13 그는 자기 친구들에게서 생일 선물을 몇 개 받았다.
   14 그의 누나는 지난주에 감기에 걸렸다.
   15 우리 아버지는 호수에서 큰 물고기를 잡으셨다.

   B was ~이었다/했다, ~에 있었다, were ~이었다/
   했다, ~에 있었다, did 했다, visited 방문했다[찾
   아갔다], sent 보냈다, studied 공부했다, had 먹
   었다, played (게임·놀이 등을) 했다, found 찾았
   다, fed 먹이를 주었다, wore 입고 있었다,
   cooked 요리했다

Grammar Jump! 36~37쪽

A 1 wasn't 2 weren't
   3 wasn't 4 didn't make

   5 didn't play 6 didn't send
   7 was 8 were
   9 went 10 shopped
   11 swam 12 watched

B 1 Were, was 2 Was, wasn't
   3 were 4 he wasn't
   5 Did 6 Did, didn't
   7 Did, did 8 Did, he didn't
   9 Did, No, didn't 10 Did, they did
   11 Did, I[we] didn't 12 Did, she did

해설 **A** 1 그는 좋은 학생이었다.
      → 그는 좋은 학생이 아니었다.
   2 그 쿠키들은 매우 맛있었다.
      → 그 쿠키들은 매우 맛있지 않았다.
   3 그녀는 그때 목이 말랐다.
      → 그녀는 그때 목마르지 않았다.
   4 우리 누나와 나는 종이 비행기를 만들었다.
      → 우리 누나와 나는 종이 비행기를 만들지 않았다.
   5 그들은 비치 볼을 가지고 놀았다.
      → 그들은 비치 볼을 가지고 놀지 않았다.
   6 다나는 자기 친구에게 문자 메시지를 보냈다.
      → 다나는 자기 친구에게 문자 메시지를 보내지
      않았다.
   7 그 가족은 지난 주말에 해변에 있지 않았다.
      → 그 가족은 지난 주말에 해변에 있었다.
   8 그들은 학교에 지각하지 않았다.
      → 그들은 학교에 지각했다.
   9 우리는 수족관에 버스를 타고 가지 않았다.
      → 우리는 수족관에 버스를 타고 갔다.
   10 우리 어머니는 그 시장에서 물건을 사지 않으셨다.
      → 우리 어머니는 그 시장에서 물건을 사셨다.
   11 나는 바다에서 수영하지 않았다.
      → 나는 바다에서 수영했다.
   12 맥스는 야구 경기를 보지 않았다.
      → 맥스는 야구 경기를 봤다.

   B 1 A: 너는 어제 학교에 지각했니?
      B: 응, 그랬어.
   2 A: 그녀는 그때 화났었니?
      B: 아니, 그러지 않았어.
   3 A: 공원에 나무들이 많이 있었니?
      B: 응, 그랬어.
   4 A: 그는 그때 수영장에 있었니?

B: 아니, 그러지 않았어. 그는 그때 극장에 있었어.

5 *A*: 그 비행기는 오후에 도착했니?

B: 응, 그랬어.

6 *A*: 남호는 방과 후에 피아노를 쳤니?

B: 아니, 그러지 않았어. 그는 방과 후에 기타를 쳤어.

7 *A*: 너희는 이틀 전에 모형 비행기를 날렸니?

B: 응, 그랬어.

8 *A*: 그는 지난 일요일에 케이트와 영화 보러 갔니?

B: 아니, 그러지 않았어.

9 *A*: 리사는 오늘 아침에 일찍 일어났니?

B: 아니, 그러지 않았어. 그녀는 오늘 아침에 늦게 일어났어.

10 *A*: 그들은 어제 아름다운 호수를 봤니?

B: 응, 그랬어.

11 *A*: 너[너희]는 어젯밤에 거실을 청소했니?

B: 아니, 그러지 않았어.

12 *A*: 그 여자아이는 그때 파란색 재킷을 원했니?

B: 응, 그랬어.

Grammar Fly! 38~39쪽

A 1 There were a lot of people in the stadium then.

2 She was busy yesterday.

3 They went to the gallery yesterday.

4 He cleaned his room this morning.

5 They drank orange juice yesterday.

6 It wasn't[was not] cloudy five days ago.

7 We didn't[did not] make a snowman today.

8 Was Tony's uncle a cook then?

9 Were you and Mary at the zoo last Sunday?

10 Did your mother come home early that evening?

11 Did you play the guitar this afternoon?

12 Did the stationery store open last weekend?

B 1 The soccer game was very interesting.

2 They were kind police officers.

3 She got some presents from her friends.

4 The boys went to the concert.

5 My family caught fish in the river.

6 We flew model airplanes.

7 He wasn't at his uncle's farm.

8 We didn't shop at the market.

9 Mina didn't have a party.

10 Were they strong firefighters?

11 Did they walk in the park?

12 Did he send a text message to Nami?

해설 **A** 1 경기장에는 많은 사람들이 있다.

→ 그때 경기장에는 많은 사람들이 있었다.

2 그녀는 바쁘다.

→ 그녀는 어제 바빴다.

3 그들은 미술관에 간다.

→ 그들은 어제 미술관에 갔다.

4 그는 자기 방을 청소한다.

→ 그는 오늘 아침에 자기 방을 청소했다.

5 그들은 오렌지 주스를 마신다.

→ 그들은 어제 오렌지 주스를 마셨다.

6 날씨가 흐리지 않다.

→ 5일 전에는 날씨가 흐리지 않았다.

7 우리는 눈사람을 만들지 않는다.

→ 우리는 오늘 눈사람을 만들지 않았다.

8 토니의 삼촌은 요리사이시니?

→ 토니의 삼촌은 그때 요리사이셨니?

9 너와 메리는 동물원에 있니?

→ 너와 메리는 지난 일요일에 동물원에 있었니?

10 너희 어머니는 집에 일찍 오시니?

→ 너희 어머니는 그날 저녁에 집에 일찍 오셨니?

11 너는 기타를 치니?

→ 너는 오늘 오후에 기타를 쳤니?

12 그 문구점은 문을 여니?

→ 그 문구점은 지난 주말에 문을 열었니?

Grammar & Writing 40~41쪽

A 1 Did, go camping, did

2 Did, go fishing, did

3 didn't, went swimming

4 Did, ride a bike, he did

5 at the zoo, was

6 Was, wasn't, at the museum

B 1 walked to school, go to school by bus

2 didn't[did not] wear a school uniform, wears a school uniform

3 came home late, comes home early

4 didn't[did not] exercise, does yoga

해설 **A** 1 (캠핑하러 가다)

Q: 제니는 지난 주말에 캠핑하러 갔니?

A: 응, 그랬어.

2 (낚시하러 가다)

Q: 마이크는 지난 주말에 낚시하러 갔니?

A: 응, 그랬어.

3 (수영하러 가다)

Q: 케이트는 지난 주말에 하이킹하러 갔니?

A: 아니, 그러지 않았어. 그녀는 수영하러 갔어.

4 (자전거를 타다)

Q: 케빈은 지난 주말에 자전거를 탔니?

A: 응, 그랬어.

5 (동물원에)

Q: 네이트는 지난 주말에 동물원에 있었니?

A: 응, 그랬어.

6 (박물관에)

Q: 브라이언은 지난 주말에 수영장에 있었니?

A: 아니, 그러지 않았어. 그는 박물관에 있었어.

B walk to school 걸어서 학교에 가다, go to
school by bus 버스를 타고 학교에 가다, not
wear a school uniform 교복을 입지 않다,
wear a school uniform 교복을 입다, come
home late 집에 늦게 오다, come home early
집에 일찍 오다, not exercise 운동하지 않다, do
yoga 요가를 하다

1 나는 작년에 걸어서 학교에 갔다.

나는 올해 버스를 타고 학교에 간다.

2 우리 오빠는 작년에 교복을 입지 않았다.

그는 올해 교복을 입는다.

3 우리 아버지는 작년에 집에 늦게 오셨다.

그는 올해 집에 일찍 오신다.

4 우리 어머니는 작년에 운동을 하지 않으셨다.

그녀는 올해 요가를 하신다.

UNIT TEST ·· 02

42~46쪽

1 ❷	2 ❹	3 ❸	4 ❹
5 ❺	6 ❹	7 ❹	8 ❸
9 ❶	10 ❸	11 ❸	12 ❷
13 ❸	14 ❹	15 ❺	16 ❸
17 ❹	18 she wasn't		

19 Did, Yes   **20** brushed   **21** wanted
22 didn't play   **23** Did, walk
24 There weren't many people at the park.
25 Did you see the stars in the sky?

해설

1 shop은 「단모음+단자음」으로 끝나는 동사이므로 동사원형에 마지막 자음을 한 번 더 쓰고 -ed를 붙여 과거형을 만들어야 한다. 따라서 shopped가 알맞다.
❶ 보다 ❷ shop – shopped 사다, 쇼핑하다
❸ 말리다, 마르다 ❹ 청소하다 ❺ 옮기다, 이사하다

2 read의 과거형은 동사원형과 같은 read이며, 발음만 [ri:d]에서 [red]로 바뀐다.
❶ 마시다 ❷ 보다 ❸ 가다 ❹ read – read 읽다 ❺ 만들다

3 과거를 나타내는 말(last Sunday)이 있고 주어가 3인칭 단수(Mary)이므로 is의 과거형인 was를 써야 한다.
• 메리는 지난 일요일에 박물관에 있었다.

4 과거를 나타내는 말(yesterday)이 있으므로 study의 과거형인 studied가 알맞다. 「자음+y」로 끝나는 동사의 과거형은 -y를 -i로 바꾸고 -ed를 붙여서 만든다.
• 그들은 어제 영어를 공부했다.

5 과거 시제(last night)이므로 send의 과거형인 sent가 알맞다.
• 나는 어젯밤에 그녀에게 이메일을 보냈다.

6 be동사 과거형인 was의 부정형은 바로 뒤에 not을 붙여 wasn't[was not]로 쓴다.
• 그 물고기는 컸다. → 그 물고기는 크지 않았다.

7 일반동사 과거형(helped)의 부정은 주어와 상관없이 「didn't(=did not)+동사원형」으로 쓴다.
• 우리 누나는 내 숙제를 도와주었다.
→ 우리 누나는 내 숙제를 도와주지 않았다.

8 be동사의 과거형으로 물어보면 be동사의 과거형을 사용하여 대답한다. 의문문의 주어가 '너와 네 누나(you and your sister)'이므로 대답의 주어는 we로 하고, 긍정일 경우에는 were를 그 뒤에 쓴다.
• 너와 네 누나는 극장에 있었니? / 응, 그랬어.

9 「Did+주어+동사원형 ~?」으로 물어보면 did를 사용하여 대답한다. 의문문의 주어가 3인칭 단수 남성(Tony)이므로, Yes, he did. 또는 No, he didn't.로 한다.
• 토니가 오늘 아침에 네게 전화했니? / 응, 그랬어.

10 ❸은 일반동사 과거형의 부정문이므로 go 앞에 didn't를 써야 한다.
❶ 그 책은 재미있었니?
❷ 그녀는 그때 가수가 아니었다.
❸ They didn't go to the concert yesterday. 그들은 어제 콘서트에 가지 않았다.
❹ 공원에 꽃이 많이 있었다.
❺ 그들은 그때 5학년이었니?

11 ❸은 일반동사 과거형의 부정문으로 「didn't+동사원형」의 형태를 쓰므로 got이 get으로 바뀌어야 한다.
❶ 제이크는 어제 너와 수학을 공부했니?
❷ 그들은 2년 전에 서울에 살았니?
❸ We didn't get up early this morning. 우리는 오늘 아침에 일찍 일어나지 않았다.
❹ 그는 어젯밤에 책을 읽지 않았다.

❺ 우리 언니는 어제 저녁에 고양이에게 먹이를 주었다.

12 ❷의 대답은 be동사 과거형의 의문문에 대한 대답이어야 하
므로 No, he wasn't.가 알맞다.
　❶ A: 그 연못에는 물고기가 많이 있었니?
　　B: 응, 그랬어.
　❷ A: 잭은 그 콘서트에 늦었니?
　　B: No, he wasn't. 아니, 그러지 않았어.
　❸ A: 그녀는 영화를 보러 갔니?
　　B: 응, 그랬어.
　❹ A: 그들은 지난 일요일에 조부모님을 찾아뵈었니?
　　B: 응, 그랬어.
　❺ A: 줄리는 그때 네 가장 친한 친구였니?
　　B: 아니, 그렇지 않았어.

13 첫 번째 문장은 과거 시제(yesterday)이므로 was가 알맞고,
두 번째 문장은 현재 시제(now)이고 주어가 he이므로 Is가
알맞다.
　• 남수는 어제 아팠다.
　• 그는 지금 아프니?

14 첫 번째 문장은 과거 시제(last Saturday)이고 주어가 3인칭
단수(My dad)이므로 catch의 과거형인 caught를 써야 하
며, 두 번째 문장은 didn't 뒤에는 동사원형이 와야 하므로
catch를 써야 한다.
　• 우리 아빠는 지난 토요일에 큰 물고기를 잡으셨다.
　• 나는 그때 물고기를 하나도 잡지 못했다.

15 일반동사 과거형의 부정문에서는 didn't 뒤에 동사원형을 써
야 하므로 didn't make가 알맞다.
　• They didn't make a model airplane this morning.
　　그들은 오늘 아침에 모형 비행기를 만들지 않았다.

16 be동사 과거형의 의문문은 「Was[Were]+주어 ~?」로 나타
내므로 Was she가 알맞다.
　• 그녀는 작년에 6학년이었다. → 그녀는 작년에 6학년이었니?

17 일반동사 과거형의 의문문은 「Did+주어+동사원형 ~?」으로
쓰므로 Did Jake have가 알맞다.
　• 제이크는 어제 생일 파티를 열었다.
　　→ 제이크는 어제 생일 파티를 열었니?

18 Was she ~?에 대한 긍정의 대답은 Yes, she was., 부정
의 대답은 No, she wasn't.이다.
　• A: 그녀는 어제 오후에 도서관에 있었니?
　　B: 아니, 그러지 않았어.

19 주어가 they인 일반동사 과거형의 의문문은 Did they ~?로
묻고, 대답이 긍정이면 Yes, they did.로 말한다.
　• A: 그들은 그때 산책을 했니? B: 응, 그랬어.

20 과거 시제이므로 brush의 과거형인 brushed가 알맞다.

21 과거 시제이므로 want의 과거형인 wanted가 알맞다.

22 일반동사가 쓰인 과거 시제의 부정문이므로 didn't play를
써야 한다.

23 일반동사 과거형의 의문문이므로 Did she walk로 써야 한다.

24 '~들이 있지 않았다'라고 말할 때는 「There weren't+주어
(복수명사)+장소.」의 순서로 쓴다.

25 주어가 you인 일반동사 과거형의 의문문은 「Did you+동사
원형 ~?」으로 나타낸다.

Wrap Up
47쪽

1 　1　was　　　2　were　　　3　weren't
　　4　Was　　　5　Were

2 　1　-ed　　　2　didn't　　　3　Did

Check up
Were, played, Did, Yes

만화 해석
잭: 너는 어제 해변에 있었니?
친구: 응, 그랬어.
친구: 나는 공을 가지고 놀았어.
잭: 너는 수영했니?
친구: 음……..
친구: 응, 그랬어.

Review Test · 01
48~51쪽

1 ❹	2 ❺	3 ❸	4 ❹
5 ❸	6 ❷	7 ❺	8 ❸
9 ❷	10 ❹	11 ❸	12 ❹
13 ❸	14 ❷	15 ❸	

16 ⓐ rides ⓑ didn't　　17 don't watch
18 didn't wear　　　　　19 Do, want
20 Did, move

해설
1 -s, -sh, -ch, -x, -o로 끝나는 동사는 동사원형에 -es를 붙
여 3인칭 단수 현재형을 만든다. 따라서 brushes가 알맞다.
　❶ 날리다, 날다　❷ 하다　❸ 옮기다, 이사하다
　❹ brush – brushes 솔질[빗질/칫솔질]을 하다　❺ 청소하다

2 「자음+y」로 끝나는 동사의 과거형은 -y를 -i로 바꾸고 -ed를
붙여서 만든다. 따라서 dry의 과거형은 dried이다.
　❶ 사다, 쇼핑하다　❷ 부르다, 전화하다
　❸ 하다　❹ 잡다　❺ dry – dried 말리다

3 현재를 나타내는 말(now)이 있고, 주어가 I이므로 am을 써
야 한다.
　• 나는 지금 피곤하다.

4 과거를 나타내는 말(yesterday afternoon)이 있고, 주어가
They이므로 were를 써야 한다.
　• 그들은 어제 오후에 수영장에 있었다.

5 과거를 나타내는 말(last Sunday)이 있으므로, have의 과
거형인 had를 써야 한다. 또는 부정문의 과거형인 didn't
have를 쓸 수 있다.

• 그녀는 지난 일요일에 생일 파티를 열었다.

6 주어가 3인칭 단수(Mina)인 일반동사 현재형의 의문문은 「Does +주어+동사원형 ~?」으로 나타낸다.
• 미나는 방과 후에 피아노 교습을 받는다.
→ 미나는 방과 후에 피아노 교습을 받니?

7 일반동사 과거형의 의문문은 주어와 상관없이 「Did+주어+동사원형 ~?」으로 쓴다.
• 그 남자아이들은 눈사람을 만들었다.
→ 그 남자아이들은 눈사람을 만들었니?

8 주어가 They인 be동사 과거형의 부정문은 weren't[were not]을 쓴다.
• 그들은 작년에 5학년이었다.
→ 그들은 작년에 5학년이 아니었다.

9 일반동사 과거형(flew)의 부정은 「didn't+동사원형」을 사용하므로 didn't fly가 알맞다.
• 우리는 지난 일요일에 모형 비행기를 날렸다.
→ 우리는 지난 일요일에 모형 비행기를 날리지 않았다.

10 be동사 현재형 의문문에서 주어가 복수명사(your parents)이므로 they를 써서 Yes, they are. 또는 No, they aren't.로 대답한다.
• 너희 부모님은 오늘 바쁘시니? / 아니, 그렇지 않으셔.

11 「Was+주어 ~?」로 물었고, 주어가 3인칭 단수 여성(your aunt)이므로, 알맞은 대답은 Yes, she was. 또는 No, she wasn't.이다.
• 너희 고모는 간호사이셨니? / 응, 그러셨어.

12 상대방 한 명에게 Do you ~?라고 물었을 때 알맞은 부정의 대답은 No, I don't.이다.
• A: 에밀리, 너는 버스를 타고 학교에 가니?
B: 아니, 그러지 않아. 나는 걸어서 학교에 가.

13 「Does she+동사원형 ~?」에 대한 부정의 대답은 No, she doesn't.가 알맞다. 이어지는 문장은 주어가 She이므로 like에 -s를 붙인 likes를 써야 한다.
• A: 그녀는 오렌지 주스를 좋아하니?
B: 아니, 그러지 않아. 그녀는 포도 주스를 좋아해.

14 일반동사 과거형의 의문문은 Did로 시작한다. B의 대답 역시 과거 시제이므로 help의 과거형인 helped를 써야 한다.
• A: 남호가 네 숙제를 도와줬니?
B: 응, 그랬어. 그는 내 숙제를 도와줬어.

15 ❸의 didn't 뒤에는 동사원형을 써야 하므로 goes를 동사원형인 go로 바꿔야 한다.
❶ 연못에 오리들이 없다.
❷ 그는 스케이트보드를 가지고 있지 않다.
❸ We didn't go to the library yesterday. 우리는 어제 도서관에 가지 않았다.
❹ 그들은 아침에 산책을 하니?
❺ 너는 존에게 이메일을 보냈니?

16 첫 번째 문장은 주어가 3인칭 단수(Grace)이므로 동사원형 ride에 -s를 붙인 rides를 써야 한다. 두 번째 문장은 과거 시제(last Sunday)의 부정문이므로 doesn't를 didn't로

고쳐야 한다.
• Grace rides a bike on Sundays. 그레이스는 일요일마다 자전거를 탄다.
But she didn't ride it last Sunday. 하지만 그녀는 지난 일요일에 자전거를 타지 않았다.
She was sick then. 그녀는 그때 아팠다.

17 주어가 I인 일반동사 현재형의 부정문은 「don't[do not]+동사원형」을 써서 나타낸다.

18 일반동사 과거형의 부정문은 주어와 상관없이 「didn't[did not]+동사원형」을 사용한다.

19 주어가 you인 일반동사 현재형의 의문문은 「Do you+동사원형 ~?」으로 쓴다.

20 일반동사 과거형의 의문문은 주어와 상관없이 「Did+주어+동사원형 ~?」으로 쓴다.

🌀03 미래 시제

01 will과 be going to

만화 해석   54쪽
엄마: 오늘은 부엌을 청소할 거야.
잭: 제가 도울게요, 엄마.
엄마: 내일 꽃병을 사야겠구나.

Grammar Walk!   55쪽

A 1 call   2 start   3 study
4 be   5 close   6 be
7 will help   8 will draw   9 play
10 visit   11 is going   12 are going
13 be   14 are going to
15 is going to

해설 **A** 1 나는 오늘 저녁에 네게 전화할 것이다.
2 그 경기는 11시에 시작할 것이다.
3 그들은 오늘 도서관에서 공부할 것이다.
4 우리 아버지는 다음 달에 뉴욕에 계실 것이다.
5 그 가게는 오후 9시 30분에 문을 닫을 것이다.
6 내일은 화창할 것이다.
7 나는 네 숙제를 도와줄 것이다.
8 우리는 만화를 그릴 것이다.
9 나는 방과 후에 축구를 할 것이다.
10 그들은 내일 이모를 찾아뵐 것이다.
11 그는 미술 동아리에 가입할 것이다.
12 다나와 나는 내일 하이킹하러 갈 것이다.

13 서둘러! 우리는 영화 시간에 늦을 거야.

14 우리는 로마로 여행을 갈 것이다.

15 우리 어머니는 수영 강습을 받으실 것이다.

02 미래 시제의 부정문과 의문문

만화 해석
56쪽

잭: 네가 점심 식사를 요리할 거니?

서니: 응, 그럴 거야.

잭: 서니는 내게 음식을 주지 않을 거야.

Grammar Walk!
57쪽

A **1** not send　**2** will not　**3** won't
4 not go　**5** is not　**6** going to
7 are not going　　　**8** watch
9 Will　**10** will　**11** won't
12 be　**13** Are　**14** going
15 isn't

해설 **A** **1** 나는 그녀에게 이메일을 보내지 않을 것이다.

2 그들은 오늘 배드민턴을 치지 않을 것이다.

3 우리 언니는 내일 청바지를 입지 않을 것이다.

4 그는 이번 토요일에 그 연주회에 가지 않을 것이다.

5 그녀는 점심 식사로 햄버거를 먹지 않을 것이다.

6 나는 오늘 오후에 자전거를 타지 않을 것이다.

7 그들은 버스를 타지 않을 것이다.

8 우리는 오늘 밤에 TV를 보지 않을 것이다.

9 너는 내일 아침에 일찍 일어날 거니? / 응, 그럴 거야.

10 그는 시험에 통과할까? / 응, 그럴 거야.

11 아빠가 내게 돈을 조금 주실까? / 아니, 그러지 않으실 거야.

12 오늘 추울까? / 응, 그럴 거야.

13 너는 네 삼촌 댁에서 머무를 거니? / 응, 그럴 거야.

14 그들은 이번 일요일에 소풍을 갈 거니? / 아니, 그러지 않을 거야.

15 존은 너와 함께 숙제를 할 거니? / 아니, 그러지 않을 거야.

Grammar Run!
58~59쪽

A **1** will call　**2** will watch　**3** will close
4 will arrive　**5** will help　**6** will carry
7 will give　**8** will take
9 is going to clean　**10** is going to buy
11 are going to have　**12** is going to leave

13 are going to see　**14** am going to visit
15 is going to wear

B **1** won't　**2** not　**3** won't
4 won't　**5** is not, to　**6** is not
7 not, go　**8** not going to　**9** Will
10 Will, be　**11** will　**12** Is, take
13 Are, going　**14** aren't

해설 **A** **1** 나는 나중에 네게 전화할 것이다.

2 그는 TV로 그 야구 경기를 볼 것이다.

3 그 은행은 오후 4시에 닫을 것이다.

4 그 기차는 20분 후에 도착할 것이다.

5 우리 어머니는 내 숙제를 도와주실 것이다.

6 나는 네 가방을 들어 줄 것이다.

7 그들은 그녀에게 꽃을 조금 줄 것이다.

8 우리는 공원에서 산책할 것이다.

9 우리 가족은 오늘 집을 청소할 것이다.

10 그는 오늘 재킷을 살 것이다.

11 우리는 밖에서 점심 식사를 할 것이다.

12 그의 삼촌은 내일 떠나실 것이다.

13 그들은 오늘 밤에 뮤지컬을 볼 것이다.

14 나는 다음 주에 우리 이모를 찾아뵐 것이다.

15 그녀는 그 파티에 빨간 드레스를 입을 것이다.

Grammar Jump!
60~61쪽

A **1** will not leave　**2** will not exercise
3 will not move　**4** will not keep
5 will not have　**6** will not tell
7 not going to be　**8** not going to take
9 not going to write　**10** not going to come
11 not going to ride　**12** not going to see

B **1** Will you give
2 Will they arrive
3 Will our soccer team win
4 Will Mark visit
5 Will she be
6 Will you keep
7 Are they going to buy
8 Is Bora going to bring
9 Is he going to fix
10 Are you going to play
11 Is Dad going to cook
12 Are we going to go

A 1 그 비행기는 오전 10시 30분에 출발할 것이다.
→ 그 비행기는 오전 10시 30분에 출발하지 않을 것이다.

2 그들은 내일 아침에 운동할 것이다.
→ 그들은 내일 아침에 운동하지 않을 것이다.

3 우리 가족은 다음 달에 인천으로 이사할 것이다.
→ 우리 가족은 다음 달에 인천으로 이사하지 않을 것이다.

4 그녀는 약속을 지킬 것이다.
→ 그녀는 약속을 지키지 않을 것이다.

5 나는 점심 식사로 빵과 우유를 먹을 것이다.
→ 나는 점심 식사로 빵과 우유를 먹지 않을 것이다.

6 우리는 재닛에게 진실을 말할 것이다.
→ 우리는 재닛에게 진실을 말하지 않을 것이다.

7 온종일 화창할 것이다.
→ 온종일 화창하지는 않을 것이다.

8 나는 쉴 것이다.
→ 나는 쉬지 않을 것이다.

9 그녀는 이야기를 쓸 것이다.
→ 그녀는 이야기를 쓰지 않을 것이다.

10 딘은 곧 돌아올 것이다.
→ 딘은 곧 돌아오지 않을 것이다.

11 우리는 농장에서 말을 탈 것이다.
→ 우리는 농장에서 말을 타지 않을 것이다.

12 그들은 오늘 영화를 볼 것이다.
→ 그들은 오늘 영화를 보지 않을 것이다.

B 1 너는 내게 주스를 조금 줄 것이다.
→ 내게 주스를 조금 줄 거니[줄래]?

2 그들은 정각에 공항에 도착할 것이다.
→ 그들은 정각에 공항에 도착할까?

3 우리 축구팀은 그 경기에서 이길 것이다.
→ 우리 축구팀이 그 경기에서 이길까?

4 마크는 이번 주말에 박물관을 방문할 것이다.
→ 마크는 이번 주말에 박물관을 방문할까?

5 그녀는 내년에 열네 살이 될 것이다.
→ 그녀는 내년에 열네 살이 될 거니?

6 너는 규칙을 지킬 것이다.
→ 너는 규칙을 지킬 거니?/ 규칙을 지켜 줄래?

7 그들은 캠핑을 위해 텐트를 살 것이다.
→ 그들은 캠핑을 위해 텐트를 살 거니?

8 보라는 카메라를 가져올 것이다.
→ 보라가 카메라를 가져올 거니?

9 그는 지붕을 고칠 것이다.
→ 그가 지붕을 고칠 거니?

10 너는 오늘 골프를 칠 것이다.
→ 너는 오늘 골프를 칠 거니?

11 아빠는 저녁 식사를 요리하실 것이다.
→ 아빠가 저녁 식사를 요리하실 거니?

12 우리는 소풍을 갈 것이다.
→ 우리는 소풍을 갈 거니?

Grammar Fly!
62~63쪽

A 1 I will carry the boxes for you.
2 Sue will visit my uncle's farm this Sunday.
3 He will not call you again tomorrow.
4 I will not keep a diary.
5 Will they win the baseball game?
6 Will you go to the library by bus?
7 She's going to invite Bill to her home.
8 We're going to go shopping tonight.
9 I'm not going to tell a lie to you.
10 He is not going to take skating lessons.
11 Is Sora going to study math with us?
12 Are they going to bring their in-line skates?

B 1 I will[I'll] be at the swimming pool today.
2 We are[We're] going to feed our dog in the morning.
3 He will[He'll] stay at home all day.
4 Minju is going to play the piano today.
5 They won't[will not] make paper airplanes. / They'll not make paper airplanes.
6 I am[I'm] not going to go to the dentist.
7 It won't[will not] be windy and cold today. / It'll not be windy and cold today.
8 I won't[will not] eat too much ice cream. / I'll not eat too much ice cream.
9 Will you have chicken and salad for dinner?
10 Is she going to take a rest after lunch?
11 Are they going to read many books during the vacation?
12 Are we going to catch fish in the river?

B 1 나는 오늘 수영장에 있다.
→ 나는 오늘 수영장에 있을 것이다.

2 우리는 아침에 우리 개에게 먹이를 준다.
→ 우리는 아침에 우리 개에게 먹이를 줄 것이다.

3 그는 온종일 집에 머무른다.
→ 그는 온종일 집에 머무를 것이다.

4 민주는 오늘 피아노를 친다.

→ 민주는 오늘 피아노를 칠 것이다.

5 그들은 종이비행기를 만들지 않는다.

→ 그들은 종이비행기를 만들지 않을 것이다.

6 나는 치과에 가지 않는다.

→ 나는 치과에 가지 않을 것이다.

7 오늘은 바람이 많이 불지 않고 춥지도 않다.

→ 오늘은 바람이 많이 불지 않고 춥지도 않을 것이다.

8 나는 아이스크림을 너무 많이 먹지 않는다.

→ 나는 아이스크림을 너무 많이 먹지 않을 것이다.

9 너[너희]는 저녁 식사로 닭고기와 샐러드를 먹니?

→ 너[너희]는 저녁 식사로 닭고기와 샐러드를 먹을 거니?

10 그녀는 점심 식사 후에 쉬니?

→ 그녀는 점심 식사 후에 쉴 거니?

11 그들은 방학 동안 책을 많이 읽니?

→ 그들은 방학 동안 책을 많이 읽을 거니?

12 우리는 강에서 물고기를 잡니?

→ 우리는 강에서 물고기를 잡을 거니?

Grammar & Writing   64~65쪽

A 1 will exercise regularly
2 will clean his room
3 will study English hard
4 won't[will not] watch too much TV
5 won't[will not] eat too much junk food
6 won't[will not] stay up late

B 1 Eight students are going to visit a farm.
2 Ten students are going to go camping.
3 Twelve students are going to go to the beach.
4 Six students are going to visit their grandparents.
5 Five students are going to take swimming lessons.
6 is going to learn Chinese

해설 **A** Junho's New Year's Resolutions 준호의 새해 결심, exercise regularly 규칙적으로 운동하다, clean my room 내 방을 청소하다, study English hard 영어를 열심히 공부하다, watch too much TV TV를 너무 많이 보다, eat too much junk food 정크 푸드를 너무 많이 먹다,

stay up late 늦게까지 깨어 있다

1 준호는 규칙적으로 운동할 것이다.
2 준호는 매일 자기 방을 청소할 것이다.
3 준호는 영어를 열심히 공부할 것이다.
4 준호는 TV를 너무 많이 보지 않을 것이다.
5 준호는 정크 푸드를 너무 많이 먹지 않을 것이다.
6 준호는 밤늦게까지 깨어 있지 않을 것이다.

B 1 여덟 명의 학생들이 농장을 방문할 것이다.
(농장을 방문하다)
2 열 명의 학생들이 캠핑하러 갈 것이다.
(캠핑하러 가다)
3 열두 명의 학생들이 해변에 갈 것이다. (해변에 가다)
4 여섯 명의 학생들이 조부모님을 찾아뵐 것이다.
(조부모님을 찾아뵙다)
5 다섯 명의 학생들이 수영 강습을 받을 것이다.
(수영 강습을 받다)
6 한 명의 학생이 중국어를 배울 것이다.
(중국어를 배우다)

UNIT TEST ·· 03   66~70쪽

1 ❹		**2** ❸		**3** ❹		**4** ❺	
5 ❶		**6** ❸		**7** ❷		**8** ❸	
9 ❶		**10** ❷		**11** ❺		**12** ❺	

13 won't eat   **14** Are you
15 ❷   **16** ❸   **17** ❶
18 watch   **19** not going to snow
20 I[we] won't   **21** we are
22 will keep   **23** aren't going to be
24 Will you give   **25** Is he going to tell

해설

1 will 뒤에는 항상 동사원형을 쓰고, has의 원형은 have이다.
❶ 나는 약속을 지킬 것이다.
❷ 그 경기는 곧 시작할 것이다.
❸ 내일은 날씨가 흐릴 것이다.
❹ They will have lunch outside. 그들은 밖에서 점심 식사를 할 것이다.
❺ 낸시는 오늘 자기 방을 청소할 것이다.

2 be going to 뒤에는 항상 동사원형을 쓰고, flies의 원형은 fly이다.
❶ 나는 독서 동아리에 가입할 것이다.
❷ 오늘 비가 내릴 것이다.
❸ We are going to fly a model airplane. 우리는 모형 비행기를 날릴 것이다.

❹ 토니는 자기 할머니를 찾아뵐 것이다.

❺ 그들은 저녁 식사 후에 체스를 둘 것이다.

3 next year는 '내년'이라는 뜻이므로 미래 시제의 문장이 되어야 한다. '~일 것이다'라는 미래 시제는 「will+동사원형」으로 나타내고 '되다'라는 뜻을 가진 동사는 be이므로 답은 ❹이다.

• 나는 내년에 열세 살이 될 것이다.

4 this Saturday로 보아 미래 시제의 문장이 되어야 한다. 주어가 Dana(3인칭 단수)이므로 「is going to+동사원형」으로 미래 시제를 나타낸다.

• 다나는 이번 토요일에 자기 생일 파티를 열 것이다.

5 미래의 계획을 나타내는 be going to를 쓴 문장이므로 과거를 나타내는 last Sunday는 맞지 않다.

• 우리 부모님은 _____ 자동차를 사실 것이다.

❶ 지난주 일요일 ❷ 내일 ❸ 이번 주말 ❹ 다음 주

❺ 다음 달

6 will이 쓰인 문장의 부정문은 「will not+동사원형」으로 나타낸다. will not은 won't로 줄여 쓸 수 있다.

• 나는 박물관에 버스를 타고 갈 것이다.

→ 나는 박물관에 버스를 타고 가지 않을 것이다.

7 be going to가 쓰인 문장의 부정문은 「be동사+not+going to+동사원형」으로 나타낸다.

• 우리는 춘천으로 이사할 것이다.

→ 우리는 춘천으로 이사하지 않을 것이다.

8 Will they ~?에 대한 긍정의 대답은 Yes, they will., 부정의 대답은 No, they won't.이다.

• 그들은 오늘 오후에 쇼핑하러 갈까? / 아니, 그러지 않을 거야.

9 be going to가 쓰인 의문문에 대답할 때는 be동사를 사용하여 말한다. Is he going to ~?에 대한 긍정의 대답은 Yes, he is., 부정의 대답은 No, he isn't.이다.

• 그는 병원에 갈 거니? / 응, 그럴 거야.

10 will이 쓰인 평서문을 의문문으로 바꿀 때는 「Will+주어+동사원형 ~?」 순으로 쓴다.

• 우리 팀이 그 축구 경기에서 이길 것이다.

→ 우리 팀이 그 축구 경기에서 이길까?

11 be going to가 쓰인 평서문을 의문문으로 바꿀 때는 be동사를 문장 맨 앞으로 보내고 「be동사+주어+going to+동사원형 ~?」 순으로 쓴다.

• 우리는 내일 해변으로 떠날 것이다.

→ 우리는 내일 해변으로 떠날 거니?

12 ❶과 ❷는 각각 will, be going to 뒤에 동사원형을 써야 한다. ❸은 will의 의문문이므로 주어 뒤의 동사(arrived)를 동사원형으로 바꿔야 한다. ❹는 주어가 복수(the girls)이므로 Is 대신 Are를 써야 맞다.

❶ Susan will call me later. 수잔은 나중에 내게 전화할 것이다.

❷ I'm going to take a rest. 나는 쉴 것이다.

❸ Will the train arrive at 3? 기차가 3시에 도착할까?

❹ Are the girls going to come back soon? 그 여자아이들은 곧 돌아올 거니?

❺ 우리는 오늘 말을 타지 않을 것이다.

13 won't 뒤에는 항상 동사원형을 쓴다.

14 be going to를 사용한 문장의 의문문은 「be동사+주어+going to+동사원형 ~?」의 순이다.

15 will을 사용하여 물었으므로 ❷의 대답은 Yes, they will. 또는 No, they won't.가 되어야 한다.

❶ A: 나를 도와주겠니? B: 응, 그럴게.

❷ A: 그들이 그 경기에서 이길까?

B: No, they won't. 아니, 그러지 않을 거야.

❸ A: 너는 영어를 공부할 거니? B: 응, 그럴 거야.

❹ A: 그들은 농구를 할 거니? B: 응, 그럴 거야.

❺ A: 낸시는 점심 식사를 요리할 거니?

B: 아니, 그러지 않을 거야.

16 첫 번째 문장의 every day(매일)는 습관을 나타내므로 현재 시제를 쓰고, 두 번째 문장의 tomorrow(내일)는 미래를 나타내므로 미래 시제를 표현하는 조동사 will을 쓴다. 주어가 She(3인칭 단수)임을 유의하여 현재 시제 문장에는 동사에 -s를 붙여야 한다.

• 그녀는 매일 피아노를 연습한다.

• 그녀는 내일 피아노를 연습할 것이다.

17 첫 번째 문장의 every weekend(주말마다)는 습관을 나타내므로 현재 시제를 쓰고, 두 번째 문장의 this weekend(이번 주말)는 미래를 나타내므로 미래 시제를 나타내는 「be going to+동사원형」을 쓴다. 주어가 I(1인칭)이므로 현재 시제 문장에는 동사원형을 쓴다.

• 나는 주말마다 자전거를 탄다.

• 나는 이번 주말에 자전거를 탈 것이다.

18 won't 뒤에는 항상 동사원형을 쓴다.

• 랜디는 TV로 축구 경기를 보지 않을 것이다.

19 be going to가 쓰인 문장의 부정문은 be동사 뒤에 not을 써서 「be동사+not+going to+동사원형」으로 나타낸다.

• 이번 크리스마스에는 눈이 내리지 않을 것이다.

20 will이 쓰인 의문문에는 will을 써서 대답한다. 의문문의 주어인 you는 '너, 너희들' 모두 의미할 수 있으므로 대답의 주어는 I 또는 we가 모두 될 수 있고, 주어진 대답이 No이므로 won't를 쓴다.

• A: 너[너희]는 오늘 저녁에 연주회에 갈 거니?

B: 아니, 그러지 않을 거야.

21 be going to가 쓰인 의문문에 긍정으로 대답할 때는 「Yes, 주어+be동사.」로 한다. 의문문의 주어가 you and Mina이므로 대답의 주어는 we여야 하고, be동사는 are를 쓴다.

• A: 너와 미나는 그 독서 동아리에 가입할 거니?

B: 응, 그럴 거야.

22 빈칸이 두 칸이므로 「will+동사원형」으로 '~할 것이다'의 의미를 나타낸다.

23 빈칸이 네 칸이므로 「be not going to+동사원형」을 써서 '~하지 않을 것이다'의 의미를 나타낸다. be동사와 not은 aren't로 줄여 쓴다.

24 '~할 거니?'라고 will을 사용하여 물을 때에는 「Will+주어+

동사원형 ～?」으로 쓴다.

25 '～할 거니?'라고 be going to를 사용하여 물을 때에는 「be 동사+주어+going to+동사원형 ～?」순으로 쓴다.

Wrap Up
71쪽

1 1 will   2 won't   3 Will
2 1 going   2 to   3 not   4 going

Check up
going, to, wake, Will

만화 해석
서니: 일찍 일어나실 건가요?
아빠: 응, 나는 조깅하러 갈 거란다.
서니: 일어나세요, 아빠!
아빠: 알았다. 곧 일어날게.
서니: 조깅하러 가실 건가요?
아빠: 응, 그래야지.
아빠: 봐! 뛰고 있잖아.

Unit 04 진행 시제

01 진행 시제

만화 해석
74쪽
아빠: 잭은 어디 있니?
서니: 저기에서 수영하고 있었어요.
잭: 아빠, 저 여기에서 수영하고 있어요!

Grammar Walk!
75쪽

A 1 watching   2 making   3 cutting
4 reading   5 lying   6 studying
7 sitting   8 dancing   9 going
10 tying   11 walking   12 writing
13 shopping   14 listening

B 1 is looking   2 am washing
3 is running   4 are taking
5 is snowing   6 was flying
7 were walking   8 was making
9 were going   10 was watching

해설 **A** 1 보다, 지켜보다   2 만들다
3 베다, 자르다   4 읽다
5 누워 있다, 눕다   6 공부하다

7 앉다   8 춤을 추다
9 가다   10 묶다, 매다
11 걷다   12 쓰다
13 사다, 쇼핑하다   14 듣다, 귀 기울이다

B 1 그 여자아이는 꽃을 보고 있다.
2 나는 지금 손을 씻고 있다.
3 그는 공원에서 달리고 있다.
4 그들은 수영 강습을 받고 있다.
5 밖에 눈이 내리고 있다.
6 그는 그때 모형 비행기를 날리고 있었다.
7 우리는 강을 따라 걷고 있었다.
8 그녀는 부엌에서 저녁 식사를 준비하고 있었다.
9 그들은 기차역에 가고 있었다.
10 나는 TV로 만화 영화를 보고 있었다.

02 진행 시제의 부정문과 의문문

만화 해석
76쪽
엄마: 아빠는 신문을 읽고 계시니?
서니: 네, 그래요.
서니: 아빠는 신문을 읽고 계시지 않아요. 주무시고 계세요.

Grammar Walk!
77쪽

A 1 am not   2 aren't   3 isn't
4 were not   5 wasn't   6 weren't
7 Are   8 Is Mom looking
9 Was   10 Were they playing

B 1 ❷   2 ❶   3 ❶   4 ❷

해설 **A** 1 나는 내 방을 청소하고 있지 않다.
2 우리는 숙제를 하고 있지 않다.
3 우리 삼촌은 외투를 입고 계시지 않다.
4 우리는 인터넷 서핑을 하고 있지 않았다.
5 그는 벤치에 앉아 있지 않았다.
6 다나와 나는 체스를 두고 있지 않았다.
7 너[너희]는 편지를 쓰고 있니?
8 엄마가 열쇠를 찾고 계시니?
9 그는 과학을 공부하고 있었니?
10 그들은 컴퓨터 게임을 하고 있었니?

B 1 너는 나를 기다리고 있었니? / 응, 그랬어.
2 그는 사다리를 올라가고 있니? / 아니, 그러지 않아.
3 민주는 그림을 그리고 있었니? / 응, 그랬어.
4 그들은 말을 타고 있니? / 아니, 그러지 않아.

Grammar Run!

78~79쪽

A
1 are catching
2 is taking
3 is sitting
4 are having
5 are exercising
6 is building
7 is flying
8 am feeding
9 were singing
10 was doing
11 were playing
12 were jumping rope
13 was lying
14 was talking
15 were helping

B
1 isn't taking
2 isn't raining
3 aren't going
4 not reading
5 wasn't sleeping
6 weren't cutting
7 wasn't writing
8 Are, looking
9 Are, shopping
10 Is, drinking
11 Is, eating
12 Were, watering
13 Was, chatting
14 Was, washing
15 Were, meeting

Grammar Jump!

80~81쪽

A
1 The dog isn't running
2 I'm surfing
3 We aren't picking / We're not picking
4 She is waiting
5 They aren't looking / They're not looking
6 The man is tying
7 We weren't having
8 My father was playing
9 I wasn't singing
10 My brother and sister were dancing
11 Dana wasn't making
12 They were carrying

B
1 Is, closing, isn't
2 Are, listening, are
3 Are, washing, not
4 Is, taking, is
5 Is, driving, is
6 Are, painting, aren't
7 Was, feeding, wasn't
8 Were, crossing, was
9 Was, flying, was
10 Were, watching, were
11 Was, wearing, wasn't
12 Were, riding, weren't

해설 **A** 1 그 개는 공원에서 달리고 있다.
→ 그 개는 공원에서 달리고 있지 않다.
2 나는 지금 인터넷 서핑을 하고 있지 않다.
→ 나는 지금 인터넷 서핑을 하고 있다.
3 우리는 마당에서 사과를 따고 있다.
→ 우리는 마당에서 사과를 따고 있지 않다.
4 그녀는 버스를 기다리고 있지 않다.
→ 그녀는 버스를 기다리고 있다.
5 그들은 달을 보고 있다.
→ 그들은 달을 보고 있지 않다.
6 그 남자는 신발 끈을 묶고 있지 않다.
→ 그 남자는 신발 끈을 묶고 있다.
7 우리는 어제 생일 파티를 하고 있었다.
→ 우리는 어제 생일 파티를 하고 있지 않았다.
8 우리 아버지는 기타를 치고 계시지 않았다.
→ 우리 아버지는 기타를 치고 계셨다.
9 나는 우리 어머니와 함께 노래를 부르고 있었다.
→ 나는 우리 어머니와 함께 노래를 부르고 있지 않았다.
10 내 남동생과 여동생은 함께 춤을 추고 있지 않았다.
→ 내 남동생과 여동생은 함께 춤을 추고 있었다.
11 다나는 포스터를 만들고 있었다.
→ 다나는 포스터를 만들고 있지 않았다.
12 그들은 무거운 상자들을 나르고 있지 않았다.
→ 그들은 무거운 상자들을 나르고 있었다.

B wash 씻다, close 닫다, ride 타다, drive 운전하다, listen 듣다, watch 보다, cross 건너다, paint 페인트칠하다, wear 입다, 쓰다, feed 먹이를 주다, fly 날다, take (a walk) 산책하다

Grammar Fly!

82~83쪽

A
1 He is[He's] lying on the carpet.
2 Sophie is playing with her dog.
3 I am[I'm] going to the supermarket.
4 We were staying at our aunt's house.
5 Nari was chatting with Suho.
6 They were playing baseball today.
7 She isn't[is not] running in the park. / She's not running in the park.
8 Your father isn't[is not] drinking coffee.
9 You aren't[are not] studying Japanese. / You're not studying Japanese.
10 It wasn't[was not] snowing much.

11 We weren't[were not] waiting for a train.

12 My brother wasn't[was not] drying his hair.

B 1 We are looking at the stars.

2 Susan is calling her grandmother.

3 I am buying a ball.

4 My mother was reading the newspaper.

5 We were taking pictures.

6 A cat was crying last night.

7 The girl isn't reading a comic book.

8 The students aren't asking questions.

9 I wasn't wearing gloves then.

10 Are you drawing flowers?

11 Were they feeding rabbits?

12 Was your uncle teaching English?

해설 **A** 1 그는 양탄자에 눕는다.
→ 그는 양탄자에 누워 있다.

2 소피는 자기 개와 논다.
→ 소피는 자기 개와 놀고 있다.

3 나는 슈퍼마켓에 간다.
→ 나는 슈퍼마켓에 가고 있다.

4 우리는 우리 이모 댁에 머물렀다.
→ 우리는 우리 이모 댁에 머무르고 있었다.

5 나리는 수호와 수다를 떨었다.
→ 나리는 수호와 수다를 떨고 있었다.

6 그들은 오늘 야구를 했다.
→ 그들은 오늘 야구를 하고 있었다.

7 그녀는 공원에서 달리지 않는다.
→ 그녀는 공원에서 달리고 있지 않다.

8 너희 아버지는 커피를 드시지 않는다.
→ 너희 아버지는 커피를 드시고 계시지 않다.

9 너는 일본어를 공부하지 않는다.
→ 너는 일본어를 공부하고 있지 않다.

10 눈이 많이 내리지 않았다.
→ 눈이 많이 내리고 있지 않았다.

11 우리는 기차를 기다리지 않았다.
→ 우리는 기차를 기다리고 있지 않았다.

12 우리 형은 자기 머리를 말리지 않았다.
→ 우리 형은 자기 머리를 말리고 있지 않았다.

Grammar & Writing
84~85쪽

A 1 was flying in the sky

2 was dancing with a prince

3 was eating the apple

4 was swimming for a prince

5 was making

6 was fighting against

B 1 are swimming   2 are building

3 is lying   4 is fishing

5 is flying   6 is eating

7 are playing

해설 **A** fly in the sky 하늘을 날다, dance with a prince 왕자와 춤을 추다, eat the apple 사과를 먹다, swim for a prince 왕자를 위해 수영하다, make 만들다, fight against ~와 싸우다

1 슈퍼맨은 하늘을 날고 있었다.

2 신데렐라는 왕자와 춤을 추고 있었다.

3 백설 공주는 사과를 먹고 있었다.

4 인어 공주는 왕자를 위해 수영하고 있었다.

5 제페토는 피노키오를 만들고 있었다.

6 피터 팬은 후크 선장과 싸우고 있었다.

B fish 낚시하다, lie 눕다, eat 먹다, play 놀다, fly 날리다, build 짓다, swim 수영하다

1 세 사람이 바다에서 수영하고 있다.

2 한 여자아이와 그녀의 아버지가 모래성을 쌓고 있다.

3 한 여자가 모래사장에 누워 있다.

4 한 남자가 바다에서 낚시를 하고 있다.

5 한 남자아이가 연을 날리고 있다.

6 한 여자아이가 아이스크림을 먹고 있다.

7 두 남자아이가 비치 볼을 갖고 놀고 있다.

Unit Test 04
86~90쪽

1 ②	2 ④	3 ④	4 ③
5 ②	6 ③	7 ①	8 ⑤
9 ④	10 ②	11 ③	12 ④
13 ②	14 was	15 ④	16 ④
17 ③	18 is swimming		

19 were looking   20 wasn't

21 isn't crying   22 Are you taking

23 Was Julie sending

24 They are climbing the mountain now.

25 The boy was catching fish in the river.

해설

1 「단모음+단자음」으로 끝나는 동사는 마지막 자음을 한 번 더 쓰고 -ing를 붙여 만든다. 따라서 shopping이 알맞다.
❶ 쓰다 ❷ shop – shopping 사다, 쇼핑하다 ❸ 읽다
❹ 묶다 ❺ 보다

2 -e로 끝나는 동사는 -e를 빼고 -ing를 붙여 만든다. 따라서 dancing이 알맞다.
❶ 앉다 ❷ 날다, 날리다 ❸ 눕다 ❹ dance - dancing 춤추다 ❺ 비가 내리다

3 주어가 3인칭 단수인 My father이므로 현재 진행형은 「is+동사원형-ing」의 형태가 된다.
• 우리 아버지는 체육관에서 운동을 하고 계신다.

4 주어가 복수인 They이므로 현재 진행형은 「are+동사원형-ing」의 형태가 된다.
• 그들은 박물관에 가고 있다.

5 주어가 3인칭 단수인 Tina이므로 과거 진행형은 「was+동사원형-ing」의 형태가 된다.
• 티나는 그때 자기 친구와 이야기하고 있었다.

6 주어가 I인 현재 진행 시제의 부정문은 「am not+동사원형-ing」로 나타낸다.
• 나는 지금 수학을 공부하고 있다.
→ 나는 지금 수학을 공부하고 있지 않다.

7 주어가 We인 과거 진행 시제의 부정문은 「weren't[were not]+동사원형-ing」로 나타낸다.
• 우리는 야구 경기를 보고 있었다.
→ 우리는 야구 경기를 보고 있지 않았다.

8 현재 진행 시제의 의문문은 「Am/Are/Is+주어+동사원형-ing ~?」로 나타낸다.
• 너[너희]는 샌드위치를 만들고 있다.
→ 너[너희]는 샌드위치를 만들고 있니?

9 과거 진행 시제의 의문문은 「Was/Were+주어+동사원형-ing ~?」로 나타낸다.
• 그녀는 모자를 쓰고 있었다.
→ 그녀는 모자를 쓰고 있었니?

10 현재 진행 시제의 의문문으로 주어(you)가 2인칭 단수이므로 대답의 주어를 I로 하여, 긍정일 때는 Yes, I am., 부정일 때는 No, I'm not.으로 대답한다.
• 니콜, 너는 오렌지 주스를 마시고 있니?

11 과거 진행 시제의 의문문으로 주어(the birds)가 3인칭 복수이므로 대답의 주어를 they로 하여, 긍정일 때는 Yes, they were., 부정일 때는 No, they weren't.로 대답한다.
• 새들이 하늘을 날고 있었니?

12 첫 번째 문장은 yesterday로 보아 과거 진행 시제 문장이다. 주어가 It이므로 빈칸에는 be동사 is의 과거형인 was가 알맞다. 두 번째 문장은 now로 보아 현재 진행 시제의 부정문이다. 따라서 빈칸에는 동사 snow 뒤에 -ing를 붙인 snowing이 알맞다.
• 어제는 눈이 오고 있었다.
지금은 눈이 오고 있지 않다. 날씨가 화창하다.

13 첫 번째 문장은 then으로 보아 과거 진행 시제 문장이다. 주어가 3인칭 복수(The students)이므로 빈칸에는 be동사 are의 과거형인 were가 알맞다. 두 번째 문장은 now로 보아 현재 진행 시제 부정문이다. 주어가 3인칭 복수(They)이므로 빈칸에는 aren't가 알맞다.
• 그 학생들은 그때 축구를 하고 있었다.
그들은 지금 축구를 하고 있지 않다. 그들은 농구를 하고 있다.

14 과거 진행 시제 문장에서 주어가 3인칭 단수(Bill)이므로 was가 알맞다.

15 ❹는 현재 진행 시제의 부정문이므로 isn't 뒤에 playing이 와야 맞다.
❶ 우리는 눈사람을 만들고 있지 않다.
❷ 케이트는 딘과 함께 점심 식사를 하고 있다.
❸ 네[너희]는 도서관에 가고 있니?
❹ He isn't playing the guitar now. 그는 지금 기타를 치고 있지 않다.
❺ 그녀는 열쇠를 찾고 있니?

16 ❹는 과거 진행 시제 의문문의 주어가 3인칭 단수(Sujin)이므로 Was로 시작해야 한다.
❶ 내 여동생은 세수를 하고 있었다.
❷ 그들은 가게에서 로봇을 사고 있지 않았다.
❸ 나는 그때 샤워를 하고 있지 않았다.
❹ Was Sujin writing an e-mail to her father? 수진이는 자기 아버지께 이메일을 쓰고 있었니?
❺ 너는 공원에서 달리고 있었니?

17 ❸의 대답은 주어가 they이므로 was 대신 were를 써야 한다.
❶ A: 너는 음악을 듣고 있니? B: 응, 그래.
❷ A: 데이브는 자기 방을 청소하고 있니?
  B: 아니, 그러지 않아.
❸ A: 그들은 거기에서 말을 타고 있었니?
  B: Yes, they were. 응, 그랬어.
❹ A: 미나는 벤치에 앉아 있었니? B: 응, 그랬어.
❺ A: 너는 나를 기다리고 있었니? B: 아니, 그러지 않았어.

18 주어가 3인칭 단수(A duck)이므로 「is+동사원형-ing」의 형태로 현재 진행 시제를 나타낸다.
• 오리 한 마리가 연못에서 헤엄친다.
→ 오리 한 마리가 연못에서 헤엄치고 있다.

19 주어가 We이므로 「were+동사원형-ing」의 형태로 과거 진행 시제를 나타낸다.
• 우리는 아름다운 꽃들을 보았다.
→ 우리는 아름다운 꽃들을 보고 있었다.

20 과거를 나타내는 말(yesterday)이 있으므로 isn't를 wasn't로 고쳐 써야 한다.
• 조던은 어제 피아노를 치고 있지 않았다.

21 '~하고 있지 않다'는 현재 진행 시제의 부정문이므로 빈칸에는 「am/are/is+not+동사원형-ing」가 들어가야 한다. 주어(The baby)가 3인칭 단수이므로 is not의 줄임말인 isn't와 동사원형에 -ing를 붙인 crying이 알맞다.

22 '~하고 있니?'라는 뜻의 현재 진행 시제의 의문문은 「Am/

Are/Is+주어+동사원형-ing ~?」의 형태이다.

23 '~하고 있었니?'라는 뜻의 과거 진행 시제의 의문문은 「Was/Were+주어+동사원형-ing ~?」의 형태이다.

24 현재 진행 시제의 긍정문은 「주어+am/are/is+동사원형-ing ~.」의 형태이다.

25 과거 진행 시제의 긍정문은 「주어+was/were+동사원형-ing ~.」의 형태이다.

Wrap Up
91쪽

1　**1**　동사원형-ing　**2**　not　**3**　Am
　　4　Are　　　　　**5**　Is
2　**1**　was　　　**2**　were　　**3**　not
　　4　동사원형-ing

Check up
playing, was, Were

만화 해석
서니: 너는 스노위와 놀고 있니?
잭: 아니, 그러지 않아.
잭: 나는 나무에 있는 새 두 마리를 보고 있었어.
서니: 그 새들은 지저귀고 있었어?
잭: 응, 그랬어.
잭: 하지만 날아가 버렸지.

Review Test · 02
92~95쪽

1 ⑤　　**2** ④　　**3** ③　　**4** ④
5 ④　　**6** ⑤　　**7** ⑤　　**8** ③
9 ⑤　　**10** not going to go　**11** ③
12 ④　　**13** ④　　**14** ②　　**15** ⑤
16 ⓐ sitting　ⓑ watch　**17** I wasn't talking
18 Was, lying
19 I'm not going to bring a camera.
20 Will you dance with me?

해설
1 미래를 나타내는 조동사 will과 be going to 뒤에는 동사원형을 쓴다.
❶ He will pass the test. 그는 시험에 통과할 것이다.
❷ The train won't leave soon. 그 기차는 금세 출발하지 않을 것이다.
❸ Jane is not going to take piano lessons. 제인은 피아노 교습을 받지 않을 것이다.
❹ Are they going to get up early tomorrow morning? 그들은 내일 아침 일찍 일어날 거니?

❺ 너[너희]는 내일 삼촌 댁을 방문할 거니?

2 주어가 복수(Namho and I)이므로 「are going to+동사원형」으로 미래 시제를 나타낸다.
• 남호와 나는 독서 동아리에 가입할 것이다.

3 will을 사용하여 미래 시제를 나타낼 때는 「will+동사원형」을 쓴다.
• 우리는 시험에 대비하여 열심히 공부할 것이다.

4 주어가 3인칭 단수(My mother)인 현재 진행 시제이므로 is cooking이 알맞다.
• 우리 어머니는 부엌에서 아침 식사를 요리하고 계신다.

5 과거를 나타내는 yesterday afternoon으로 보아 주어가 They인 과거 진행 시제이므로 were flying이 알맞다.

6 과거 진행 시제의 의문문은 「Was/Were+주어+동사원형-ing ~?」로 나타내므로 ❺의 go는 going이 되어야 한다.
❶ 내 여동생은 이를 닦고 있다.
❷ 그는 그때 샤워를 하고 있었다.
❸ 우리는 음악을 듣고 있지 않았다.
❹ 그는 편지를 쓰고 있었니?
❺ Were they going in-line skating? 그들은 인라인스케이트를 타러 가고 있었니?

7 미래 시제의 의문문인 「Am/Are/Is+주어+going to+동사원형 ~?」의 주어가 2인칭 복수인 you and your brother이므로 Yes, we are., 또는 No, we aren't.로 대답한다.
• 너와 네 남동생은 스케이트 강습을 받을 거니?

8 미래 시제의 의문문인 「Will+주어+동사원형 ~?」의 주어가 3인칭 단수이면서 남성인 Brian이므로 Yes, he will., 또는 No, he won't.로 대답한다.
• 브라이언이 네 생일 파티에 올까?

9 과거 진행 시제의 의문문인 「Was/Were+주어+동사원형-ing ~?」의 주어가 a cat이므로 Yes, it was., 또는 No, it wasn't.로 대답한다.
• 고양이가 어젯밤에 울고 있었니?

10 be going to의 부정문은 be동사 뒤에 not을 넣어 나타낸다.

11 미래 시제 will의 부정문은 「주어+won't[will not]+동사원형 ~.」으로 쓴다.
• 우리는 시장에서 물건을 살 것이다.
→ 우리는 시장에서 물건을 사지 않을 것이다.

12 과거 진행 시제의 부정문은 be동사 was/were 뒤에 not을 넣어 「주어+was/were+not+동사원형-ing ~.」로 나타낸다.
• 그녀는 아침에 꽃에 물을 주고 있었다.
→ 그녀는 아침에 꽃에 물을 주고 있지 않았다.

13 미래 시제의 의문문인 「be동사+주어+going to+동사원형 ~?」의 주어가 she이므로 첫 번째 빈칸은 Is가 알맞다. 그리고 내용상 그녀가 뮤지컬을 좋아해야 자연스러우므로 두 번째 빈칸에는 동사원형에 -s를 붙인 loves가 알맞다.
A: 그녀는 우리와 함께 뮤지컬을 볼 거니?
B: 응, 그럴 거야. 그녀는 뮤지컬을 무척 좋아해.

14 내일 날씨가 맑을지 묻는데, 흐릴 거라고 예측하고 있으므로 No로 시작하는 부정의 대답이 어울린다. 따라서 No, it

won't.가 알맞은 대답이다.
A: 내일은 날씨가 화창할까?
B: 아니, 그렇지 않을 거야. 내일은 흐릴 거야.

15 현재 진행 시제의 의문문인 「Am/Are/Is+주어+동사원형-ing ～?」의 주어가 you이므로 첫 번째 빈칸에는 Are가 알맞다. Are you ～?로 시작하는 현재 진행 시제에는 Yes, I am. 또는 No, I'm not.으로 대답하므로 두 번째 빈칸에는 am이 알맞다.
A: 너는 네 친구를 기다리고 있니?
B: 응, 그래. 그녀는 곧 여기에 올 거야.

16 첫 번째 문장은 「am/are/is+동사원형-ing」의 현재 진행 시제 문장이므로 are 뒤의 sit을 sitting으로 고쳐 써야 한다. 두 번째 문장은 「am/are/is+going to+동사원형」의 미래 시제이므로 watches를 watch로 바꿔 써야 한다.
• 아름다운 나비들이 꽃에 앉아 있다. 우리는 그것들을 구경할 것이다.

17 주어가 I인 과거 진행 시제의 부정문이므로 I wasn't talking으로 쓴다.

18 과거 진행 시제의 의문문이고 주어가 3인칭 단수인 your cat이므로 Was your cat lying으로 쓴다.

19 미래 시제 be going to의 부정문은 「주어+am/are/is+not+going to+동사원형 ～?」의 형태이다.

20 미래 시제 will의 의문문은 「Will+주어+동사원형 ～?」의 형태이다.

05 조동사 (1)

01 조동사의 쓰임

만화 해석   98쪽
친구: 넌 피아노를 칠 수 있니?
짹: 응, 할 수 있어. 들어 봐!
서니: 아니! 짹은 피아노를 못 쳐.

Grammar Walk!   99쪽

A
1 can make
2 can speak
3 will start
4 cannot play
5 can't help
6 will not
7 won't
8 Can they
9 he win

B 1 ❷   2 ❷   3 ❷   4 ❶

해설 **A** 1 나는 샌드위치를 만들 수 있다.
    2 우리 삼촌은 중국어를 말하실 수 있다.
    3 그 경기는 2시 정각에 시작할 것이다.
    4 그녀는 플루트를 불지 못한다.

5 우리는 지금 당장 너를 도울 수 없다.
6 오늘 비가 오지 않을 것이다.
7 그들은 곧 돌아오지 않을 것이다.
8 그들은 그 나무에 올라갈 수 있니?
9 그는 그 경주에서 이길까?

B 1 니콜은 태권도를 할 수 있니? / 응, 할 수 있어.
    2 그들은 우리와 함께 하이킹하러 갈까? / 아니, 그러지 않을 거야.
    3 너는 바다에서 수영할 수 있니? / 아니, 못해.
    4 너는 체육관에서 운동할 거니? / 응, 그럴 거야.

02 조동사 can

만화 해석   100쪽
짹: 내가 컴퓨터 좀 써도 되니?
서니: 미안하지만, 안 돼.
짹: 지금 뒤돌아볼래?
서니: 아야!

Grammar Walk!   101쪽

A
1 are
2 fly
3 isn't
4 could not
5 can ride
6 Can I
7 Can you

B
1 **a.**
2 **d.**
3 **c.**
4 **b.**
5 **a.**
6 **c.**

해설 **A** 1 치타는 매우 빨리 달릴 수 있다.
    2 잭은 연을 날릴 수 있니?
    3 그 어린이는 지도를 읽지 못한다.
    4 그들은 어제 그 만화 영화를 보지 못했다.
    5 너는 내 자전거를 타도 된다.
    6 내가 네 스테이플러를 사용해도 되니? / 물론이야. 여기 있어.
    7 내게 물을 가져다줄 수 있니? / 미안하지만, 안 돼.

B 1 나는 이 수학 문제를 풀 수 있다.
    2 내가 네게 질문을 해도 되니?
    3 저를 기다려 주실 수 있나요?
    4 너는 지금 집에 가도 된다.
    5 그 여자아이는 스키를 탈 수 있다.
    6 창문을 열어 주실 수 있나요?

Grammar Run!   102~103쪽

A 1 can't[cannot] drive 2 can't[cannot] draw

3 can't[cannot] ride　4 couldn't see
5 won't call　6 won't send
7 Can, play　8 Can, make
9 Can, speak　10 Will, close
11 Will, water　12 Will, be

B 1 갈 수 있다　2 찾지 못한다
3 올라갈 수 있니　4 말할 수 있다
5 타지 못한다　6 구울 수 있니
7 기억할 수 있었다　8 이기지 못했다
9 쉬어도 된다　10 해도 된다
11 빌려도 되니　12 마셔도 되니
13 줄 수 있니　14 먹이를 주실 수 있나요
15 날라 주실 수 있나요

해설 **A** 1 우리 어머니는 자동차를 운전하실 수 있다.
　　→ 우리 어머니는 자동차를 운전하지 못하신다.
2 나는 그림을 잘 그릴 수 있다.
　　→ 나는 그림을 잘 그리지 못한다.
3 그 남자아이는 스케이트보드를 탈 수 있다.
　　→ 그 남자아이는 스케이트보드를 타지 못한다.
4 우리는 어젯밤에 별을 볼 수 있었다.
　　→ 우리는 어젯밤에 별을 보지 못했다.
5 나는 내일 아침 네게 전화할 것이다.
　　→ 나는 내일 아침 네게 전화하지 않을 것이다.
6 그녀는 내게 편지를 보낼 것이다.
　　→ 그녀는 내게 편지를 보내지 않을 것이다.
7 너[너희]는 탁구를 칠 수 있다.
　　→ 너[너희]는 탁구를 칠 수 있니?
8 민호의 누나는 김치를 담글 수 있다.
　　→ 민호의 누나는 김치를 담글 수 있니?
9 그들은 일본어를 말할 수 있다.
　　→ 그들은 일본어를 말할 수 있니?
10 그 가게는 10시에 문을 닫을 것이다.
　　→ 그 가게는 10시에 문을 닫을까?
11 토니는 그 식물에 물을 줄 것이다.
　　→ 토니는 그 식물에 물을 줄까?
12 내일 날씨가 화창할 것이다.
　　→ 내일 날씨가 화창할까?

Grammar Jump!
104~105쪽

A 1 can fix　2 cannot[can't] play
3 Can, cross
4 couldn't[could not] meet
5 is able to ride

6 isn't[is not] able to fly
7 Is, able to play　8 can buy
9 can use　10 Can, try on
11 Can, go　12 Can, find

B 1 Can, climb　2 Can, dive
3 Are, catch　4 Can, move
5 Is, make　6 Can, watch
7 Can, pick　8 Can, eat
9 Can, pass　10 Can, drive
11 Can, turn　12 Can, tell

해설 **B** drive 운전하다, climb 오르다[올라가다],
tell 말하다, dive 잠수[다이빙]하다, make 만들다,
watch 지켜보다, pass 건네주다, pick 따다, turn
(off) 끄다, eat 먹다, move 옮기다, catch 잡다

Grammar Fly!
106~107쪽

A 1 Susan can cook spaghetti.
2 My dog can catch my ball.
3 I can open the bottle.
4 We'll[We will] go jogging every morning.
5 They'll[They will] take a walk.
6 James will be fifteen years old.
7 He can't[cannot] finish his homework today.
8 Dogs can't[cannot] climb trees.
9 I won't[will not] take swimming lessons. / I'll not take swimming lessons.
10 Can you play volleyball?
11 Can the boy read Japanese?
12 Will they visit their grandparents?

B 1 She can write a diary in English.
2 I can't find my gloves.
3 Can we take the subway to the zoo?
4 The robots are able to talk.
5 The baby isn't able to walk.
6 Is your grandfather able to use the Internet?
7 You can watch a horror movie tonight.
8 You can put your bag on the sofa.
9 Can I come later?
10 Can I borrow your book?
11 Can you tell me the way to City Hall?

12 Can you turn on the TV?

해설 **A** 1 수잔은 스파게티를 요리한다.
→ 수잔은 스파게티를 요리할 수 있다.

2 우리 개는 내 공을 잡는다.
→ 우리 개는 내 공을 잡을 수 있다.

3 나는 병을 연다.
→ 나는 병을 열 수 있다.

4 우리는 매일 아침 조깅하러 간다.
→ 우리는 매일 아침 조깅하러 갈 것이다.

5 그들은 산책을 한다.
→ 그들은 산책을 할 것이다.

6 제임스는 열다섯 살이다.
→ 제임스는 열다섯 살이 될 것이다.

7 그는 오늘 숙제를 끝마치지 않는다.
→ 그는 오늘 숙제를 끝마치지 못한다.

8 개는 나무에 올라가지 않는다.
→ 개는 나무에 올라가지 못한다.

9 나는 수영 강습을 받지 않는다.
→ 나는 수영 강습을 받지 않을 것이다.

10 너는 배구를 하니?
→ 너는 배구를 할 수 있니?

11 그 남자아이는 일본어를 읽니?
→ 그 남자아이는 일본어를 읽을 수 있니?

12 그들은 조부모님을 찾아뵙니?
→ 그들은 조부모님을 찾아뵐까?

4 (내게 수건을 건네주다) 내게 수건을 건네줄 수 있니?

5 (우리 개를 찾다) 우리 개를 찾아 주시겠어요?

6 (나와 함께 배드민턴을 치다) 나와 함께 배드민턴을 쳐 줄 수 있니?

B play the flute 플루트를 불다, play the guitar 기타를 치다, fix a bicycle 자전거를 고치다, fix a computer 컴퓨터를 고치다, speak Chinese 중국어를 말하다, speak French 프랑스 어를 말하다, run fast 빨리 달리다, fly 날다, pick fruit 과일을 따다, climb a tree 나무에 올라가다

1 Q: 미나는 플루트를 불 수 있니?
A: 응, 할 수 있어. 그러나 그녀는 기타를 치지 못해.

2 Q: 미나의 아버지는 컴퓨터를 고치실 수 있니?
A: 아니, 못하셔. 그러나 그는 자전거를 고치실 수 있어.

3 Q: 미나의 어머니는 중국어를 말하실 수 있니?
A: 응, 하실 수 있어. 그러나 그녀는 프랑스 어를 말하시지 못해.

4 Q: 타조는 날 수 있니?
A: 아니, 못해. 그러나 그것들은 빨리 달릴 수 있어.

5 Q: 코끼리는 과일을 딸 수 있니?
A: 응, 할 수 있어. 그러나 그것들은 나무에 올라가지 못해.

Grammar & Writing
108~109쪽

A 1 Can you move this desk?
2 Can you open the window?
3 Can you give me some food, please?
4 Can you pass me the towel?
5 Can you find my dog, please?
6 Can you play badminton with me?

B 1 play the flute, can't[cannot]
2 No, can't, fix a bicycle
3 speak Chinese, can't[cannot]
4 fly, can run fast
5 Yes, can, climb a tree

해설 **A** 1 (책상을 옮기다) 이 책상을 옮겨 줄 수 있니?
2 (창문을 열다) 창문을 열어 줄 수 있니?
3 (내게 음식을 조금 주다) 제게 음식을 조금 주시겠어요?

UNIT TEST ·· 05
110~114쪽

1 ⑤	2 ③	3 ③	4 ④
5 ⑤	6 ①	7 ③	8 ①
9 ①	10 ④	11 ②	12 ④
13 ③	14 ⑤	15 ③	16 ⑤
17 ①	18 she can	19 I'm not	

20 can't[cannot] remember
21 could go   22 can win
23 can watch
24 Can you tell me your phone number?
25 Can I study science with you?

해설

1 조동사 뒤에는 항상 동사원형이 오므로 ⑤의 can makes는 can make가 되어야 한다.
❶ 그녀는 바이올린을 켤 수 있다.
❷ 우리 개는 내 공을 잡을 수 있다.
❸ 우리는 미술관에 갈 것이다.

정답 및 해설 **23**

❹ 톰은 스케이트보드를 탈 수 있다.

❺ Molly can make a sandwich. 몰리는 샌드위치를 만들 수 있다.

2 '~할 수 있다'라는 능력을 나타내는 can은 be able to로 바꿔 쓸 수 있다. 문장에서 주어 Monkeys가 복수이므로 빈칸에는 are able to가 알맞다.
• 원숭이는 나무를 오를 수 있다.

3 cannot은 「be동사+not able to」로 바꿔 쓸 수 있다. 주어가 3인칭 단수인 She이므로 빈칸에는 isn't able to가 알맞다.
• 그녀는 그림을 잘 그리지 못한다.

4 be able to는 be동사를 주어 앞으로 보내어 「be동사+주어+able to+동사원형 ~?」으로 의문문을 만든다. 따라서 빈칸에는 Are they able to가 알맞다.
• 그들은 그 무거운 책장을 나를 수 있다.
→ 그들은 그 무거운 책장을 나를 수 있니?

5 조동사 can은 can을 주어 앞으로 보내어 「Can+주어+동사원형 ~?」으로 의문문을 만든다. 따라서 빈칸에는 Can he play가 알맞다.
• 그는 탁구를 칠 수 있다. → 그는 탁구를 칠 수 있니?

6 조동사 can은 뒤에 not을 붙여 「cannot+동사원형」, 또는 「can't+동사원형」으로 부정문을 만든다. 따라서 빈칸에는 can't read가 알맞다.
• 그 여자아이는 영어로 된 이야기 책을 읽을 수 있다.
→ 그 여자아이는 영어로 된 이야기 책을 읽지 못한다.

7 '~할 수 있니?'라는 can으로 시작하는 의문문에 '할 수 있다'라고 대답할 때는 「Yes, 주어(대명사)+can.」, '할 수 없다'라고 대답할 때는 「No, 주어(대명사)+can't.」로 한다.
• 너는 그 병을 열 수 있니? / 아니, 못해.

8 「be동사+주어+able to+동사원형 ~?」의 형태로 물은 의문문은 be동사로 시작하는 의문문이므로 '할 수 있다'라고 대답할 때는 「Yes, 주어(대명사)+be동사.」, '할 수 없다'라고 대답할 때는 「No, 주어(대명사)+be동사+not.」으로 한다.
• 앤은 한국어를 말할 수 있니? / 응, 할 수 있어.

9 Here you are.는 '여기 있어.'라는 뜻으로 상대방에게 무엇인가를 건네주면서 하는 말이다. B의 대답으로 보아 A의 말은 '네 지우개를 사용해도 되니?'라는 뜻이 되어야 한다. '내가 ~해도 되니?'라는 뜻으로 상대의 허락을 구하는 표현은 「Can I+동사원형 ~?」으로 나타낸다.
• A: 내가 네 지우개를 사용해도 되니?
B: 물론이야. 여기 있어.

10 B의 Sorry, but I can't.는 상대의 요청이나 부탁을 거절하는 표현이다. 따라서 A의 말은 '~해 줄 수 있니?'의 의미로 상대에게 부탁하는 표현인 「Can you+동사원형 ~?」이 되어야 한다.
• A: 내게 과일을 조금 줄 수 있니? / B: 미안하지만, 안 돼.

11 but은 반대되는 내용을 연결하는 접속사이므로 앞 문장에는 can meet와 반대되는 '만날 수 없다'라는 내용이 나와야 한다. 그런데 앞 문장에 과거를 나타내는 말인 yesterday가 있으므로 빈칸에는 can의 과거형인 could를 쓴 '만나지 못했다'라는 뜻의 could not meet가 알맞다.
• 나는 어제 사라를 만나지 못했다. 그러나 오늘 그녀를 만날 수 있다.

12 허가를 구하는 Can I ~?(내가 ~해도 되니?)로 질문하면, 대답은 대명사 you를 사용해서 Yes[Sure/Of course], you can. 또는 No, you can't./Sorry, but you can't. 등으로 한다.
❶ A: 너는 스키를 탈 수 있니? / B: 아니, 못 타.
❷ A: 그녀는 내게 나중에 전화할까? / B: 응, 그럴 거야.
❸ A: 그는 잠수를 잘할 수 있니? / B: 아니, 못해.
❹ A: 내가 네 만화책을 빌려도 되니?
B: Yes, you can. 응, 그래도 돼.
❺ A: 문을 열어 줄 수 있니? / B: 물론이야.

13 ❸을 제외한 ❶, ❷, ❹, ❺의 can은 모두 '~할 수 있다'라는 능력이나 가능의 의미이다.
❶ 너는 노래를 잘할 수 있다.
❷ 그는 매우 빨리 달릴 수 있다.
❸ 너는 여기 앉아도 된다.
❹ 너는 거기에서 수영할 수 없다.
❺ 그녀는 그 수학 문제를 쉽게 풀 수 있다.

14 '~해 줄 수 있니?'라는 뜻으로 상대방에게 요청이나 부탁을 할 때 사용하는 말은 「Can you+동사원형 ~?」이다.
❶ 너는 요가를 할 수 있니?
❷ 그는 우리와 함께 하이킹하러 갈까?
❸ 너는 말을 잘 탈 수 있니?
❹ 그녀는 중국어를 말할 수 있니?
❺ 불을 켜 줄 수 있니?

15 첫 번째 빈칸에는 '~을 하지 못하다'라는 뜻이므로 능력을 나타내는 조동사 can의 부정형인 can't가 알맞고, 두 번째 빈칸에는 '~할 것이다'라는 미래를 나타내는 조동사 will이 알맞다.

16 be동사 뒤에서 '춥다'라는 의미로 쓰일 수 있는 형용사는 cold이므로 첫 번째 빈칸에는 cold가 알맞다. '~해 줄 수 있니?'의 의미로 상대에게 요청하거나 부탁하는 표현은 「Can you+동사원형 ~?」이므로 두 번째 빈칸에는 Can이 알맞다.

17 be동사 뒤에서 '목마르다'라는 의미로 쓰일 수 있는 형용사는 thirsty이므로 첫 번째 빈칸에는 thirsty가 알맞다. '내가 ~해도 되니?' 하고 상대방의 허가를 구하는 표현은 「Can I+동사원형 ~?」이므로 두 번째 빈칸에는 I가 알맞다.

18 조동사 can으로 시작하는 의문문에는 「Yes, 주어(대명사)+can.」 또는 「No, 주어(대명사)+can't.」로 대답한다. 대답이 Yes로 긍정이고, 의문문의 주어가 3인칭 단수이면서 여성인 the girl이므로, 빈칸에는 she can이 알맞다.
• A: 그 여자아이는 지도를 읽을 수 있니? / B: 응, 할 수 있어.

19 be able to를 사용해서 「be동사+주어+able to+동사원형 ~?(~할 수 있니?)」으로 물어보면, 「Yes, 주어(대명사)+be동사.」 또는 「No, 주어(대명사)+be동사+not.」으로 대답한다. 대답이 No로 부정이고, 의문문의 주어가 you이므로, 빈칸에는 I'm not이 알맞다.
• A: 브라이언, 너는 태권도를 할 수 있니? / B: 아니, 못해.

20 '~하지 못한다, ~할 수 없다'라고 능력을 부정할 때는 조동사 can을 사용하여 「can't[cannot]+동사원형」으로 나타낼 수 있다.

21 '(과거에) ~할 수 있었다'라는 과거의 능력이나 가능을 나타낼 때는 can의 과거형인 could 또는 「be동사의 과거형+able to」를 사용해서 나타낼 수 있다.

22 동사에 '~할 수 있다'라는 능력이나 가능의 의미를 더해 주는 조동사는 can이다.

23 동사에 '~해도 된다'라는 허가의 의미를 더해 주는 조동사는 can이다.

24 '~해 줄 수 있니?' 하고 상대에게 부탁하는 표현인 「Can you+동사원형 ~?」의 순서로 쓴다.

25 '내가 ~해도 되니?' 하고 상대의 허가를 구하는 표현인 「Can I+동사원형 ~?」의 순서로 쓴다.

Wrap Up
115쪽

1 **1** 동사원형　　**2** not　　**3** 조동사

2 **1** ~해도 된다　　**2** ~해 줄 수 있니?

Check up
Can, you, can, couldn't

만화 해석
서니: 내가 그 만화책 읽어도 돼?
잭: 아니, 안 돼. 내가 지금 읽고 있어.
서니: 나와 함께 놀아 줄 수 있니?
잭: 미안하지만, 안 돼.
서니: 나는 스노위랑 놀 거야. 스노위는 내 공을 받을 수 있어.
서니: 이런, 미안해. 스노위가 내 공을 못 받았어.

Unit 06 조동사 (2)

01 조동사 may

만화 해석
118쪽

서니: 블래키는 지금 배고플 거야. 스노위, 너는 블래키의 음식을 먹으면 안 돼.
스노위: 나 배고파!

Grammar Walk!
119쪽

A **1** may play　**2** may not　**3** May I
　　4 may not　**5** may rain　**6** not know

B **1** c.　　**2** e.　　**3** b.
　　4 d.　　**5** a.　　**6** c.

해설 **A** **1** 너는 지금 컴퓨터 게임을 해도 된다.
　2 너는 더 자면 안 된다.
　3 제가 여기 앉아도 될까요? / 네, 그래도 돼요.
　4 제가 당신의 연필깎이를 사용해도 될까요? / 아니, 그러면 안 돼.
　5 오늘 오후에 비가 올지도 모른다.
　6 그녀는 내 이름을 모를지도 모른다.

B **1** 너는 그 색을 좋아하지 않을지도 모른다.
　2 제가 물을 좀 마셔도 될까요?
　3 너는 TV로 만화 영화를 봐도 된다.
　4 너는 그 개를 만지면 안 된다.
　5 그 아이는 배가 고플지도 모른다.
　6 오늘 눈이 오지 않을지도 모른다.

02 조동사 must와 have to

만화 해석
120쪽

엄마: 그만! 너희 싸우면 안 돼.
블래키와 스노위: 그녀는 화가 난 것이 틀림없어.

Grammar Walk!
121쪽

A **1** must　　　　**2** must not
　　3 wear　　　　**4** doesn't have to
　　5 don't have to　**6** must be
　　7 must　　　　**8** like

B **1** c.　　**2** d.　　**3** a.　　**4** d.
　　5 c.　　**6** b.

해설 **A** **1** 낸시는 지금 수학을 공부해야 한다.
　2 너는 교실에서 점프하면 안 된다.
　3 너는 헬멧을 써야 한다.
　4 그는 새 가방을 살 필요가 없다.
　5 우리는 오늘 학교에 갈 필요가 없다.
　6 그들은 목이 마른 것이 틀림없다.
　7 그는 집에 있는 것이 틀림없다. / 그는 집에 있어야 한다.
　8 그녀는 저 색을 좋아하는 것이 틀림없다.

B **1** 너는 그 의자에 앉으면 안 된다.
　2 그녀는 조용히 할 필요가 없다.
　3 나는 내 침대를 정리해야 한다.
　4 우리는 서두를 필요가 없다.
　5 나는 학교에 지각하면 안 된다.

13 must know   14 must be

15 must win

Grammar Run!   122~123쪽

A 1 ❶   2 ❷   3 ❷   4 ❷

    5 ❶   6 ❶   7 ❶   8 ❷

    9 ❶   10 ❷   11 ❷   12 ❷

B 1 may   2 may   3 May

    4 may   5 may not   6 must

    7 must[may] not   8 must[may] not

    9 have to   10 doesn't have to

    11 must   12 must

해설 **A** 1 너는 오늘 그 콘서트에 가면 안 된다.

     2 제가 당신에게 질문을 해도 될까요?

     3 너는 내 전화기를 사용해도 된다.

     4 그녀는 이 꽃을 좋아하지 않을지도 모른다.

     5 내일은 화창할지도 모른다.

     6 그 소식은 사실일지도 모른다.

     7 그는 창문을 닦아야 한다.

     8 우리는 그 그림들을 만지면 안 된다.

     9 나는 내 머리카락을 빗어야 한다.

     10 진수는 카메라를 가져올 필요가 없다.

     11 이 필통은 지민이의 것이 틀림없다.

     12 메리는 아픈 것이 틀림없다.

Grammar Jump!   124~125쪽

A 1 may drink   2 may go

    3 May, leave   4 may not play

    5 may take   6 may be

    7 may visit   8 may not remember

    9 must turn off   10 must not tell

    11 has to help   12 don't have to bring

    13 must be   14 must know

    15 must be

B 1 may ride   2 May, try on

    3 may[must] not go   4 may have

    5 may be   6 may not like

    7 must come   8 must[may] not swim

    9 has to buy   10 don't have to get

    11 don't have to call   12 doesn't have to take

해설 **A** 1 너는 이 주스를 마셔도 된다.

     2 너는 나와 쇼핑을 가도 된다.

     3 제가 전갈을 남겨도 될까요?

     4 너는 밤에 피아노를 치면 안 된다.

     5 우리 부모님은 산책하실지도 모른다.

     6 내가 틀릴지도 모른다.

     7 우리 할머니는 내일 우리를 찾아오실지도 모른다.

     8 그녀는 내 주소를 기억하지 못할지도 모른다.

     9 너는 불을 꺼야 한다.

     10 우리는 거짓말을 하면 안 된다.

     11 메리는 지금 자기 엄마를 도와 드려야 한다.

     12 너는 네 모자를 가져올 필요가 없다.

     13 그들은 쇼핑몰에 있는 것이 틀림없다.

     14 그 여자아이는 그의 반 친구였다. 그는 그녀를 틀림없이 알 것이다.

     15 폴은 지금 바쁜 것이 틀림없다.

Grammar Fly!   126~127쪽

A 1 You may use my eraser.

    2 May I talk to you now?

    3 You may not sit on the table.

    4 He may need your help.

    5 She may not be from Canada.

    6 We may go to the island this weekend.

    7 They must pass the exam.

    8 We must not[mustn't] make noise here.

    9 You have to stand in line.

    10 I don't have to clean the yard today.

    11 It must be cold outside.

    12 Your cat must be under the bed.

B 1 You may go home in 30 minutes.

    2 You may listen to my CDs.

    3 May I go to the bathroom?

    4 My family may travel next month.

    5 She may be at her friend's house.

    6 Mike may not go to the dentist tomorrow.

    7 We must be quiet in the library.

    8 We must wear a seat belt.

    9 I don't have to answer the e-mail.

    10 My father has to wash the dishes today.

11 The book must be interesting.

12 They must be good teachers.

Grammar & Writing

128~129쪽

A **1** May I speak to Junho?

2 May I go to the concert?

3 May I have these bananas?

4 May I help you?

5 May I buy this skirt?

B ⊗

1 must not[mustn't] be late

2 must not[mustn't] chew gum

3 must not[mustn't] run on the stairs

◎

1 must listen to our teacher

2 must turn off our cell phones

3 must be kind to our friends

해설 **A** **1** (준호에게 이야기하다)

A: 제가 준호와 통화할 수 있을까요?

B: 전데요.

2 (콘서트에 가다)

A: 제가 콘서트에 가도 될까요?

B: 응, 그래도 돼.

3 (이 바나나들을 먹다)

A: 제가 이 바나나들을 먹어도 될까요?

B: 물론이지.

4 (너를 돕다)

A: 제가 당신을 도와 드릴까요?

B: 네. 저는 모자를 찾고 있어요.

5 (이 치마를 사다)

A: 제가 이 치마를 사도 될까요?

B: 그래. 그것이 좋아 보인다.

B be late 늦다, chew gum 껌을 씹다, run on the stairs 계단에서 달리다, listen to our teacher 우리 선생님 말씀을 잘 듣다, turn off our cell phones 우리 휴대 전화를 끄다, be kind to our friends 우리 친구들에게 친절하게 대하다

ⓧ

1 우리는 학교에 지각하면 안 된다.

2 우리는 수업 중에 껌을 씹으면 안 된다.

3 우리는 계단에서 달리면 안 된다.

◎

1 우리는 수업 중에 선생님 말씀을 잘 들어야 한다.

2 우리는 수업 중에 우리의 휴대 전화를 꺼야 한다.

3 우리는 우리 친구들에게 친절하게 대해야 한다.

UNIT TEST ·· 06

130~134쪽

1 ④	2 ③	3 ⑤	4 ③
5 ③	6 ②	7 ①	8 ④
9 ③	10 ②	11 ①	12 ⑤
13 ②	14 ③	15 ④	16 ③
17 ①	18 may not		

19 have to **20** must[may] not cross

21 may see **22** have to help

23 must be **24** May I make a snowman?

25 Sam doesn't have to water the plants today.

해설

1 ④의 주어가 3인칭 단수(The child)이므로 have to가 아닌 has to가 알맞다.

❶ 우리는 그 콘서트에 늦을지도 모른다.

❷ 너는 그 새에게 먹이를 줘야 한다.

❸ 나는 정각에 도착해야 한다.

❹ The child has to brush his teeth. 그 아이는 이를 닦아야 한다.

❺ 그들은 약간의 음식이 필요할지도 모른다.

2 조동사의 부정문은 조동사 뒤에 not을 써서 「주어+조동사+not+동사원형 ~.」으로 쓴다.

❶ 우리는 서두를 필요가 없다.

❷ 나는 농구를 하지 못한다.

❸ You may not touch the paintings. 너는 그 그림들을 만지면 안 된다.

❹ 너는 교실에서 뛰면 안 된다.

❺ 그녀는 오늘 유니폼을 입을 필요가 없다.

3 의무의 must는 have to로 바꿔 쓸 수 있는데, 주어인 Brian이 3인칭 단수이므로 have to가 아닌 has to가 알맞다.

• 브라이언은 숙제를 끝마쳐야 한다.

4 '~해도 된다'라는 뜻의 허락의 can은 may와 바꿔 쓸 수 있다.

• 너는 내 휴대 전화를 사용해도 된다.

5 「May I+동사원형 ~?」은 '제가 ~해도 될까요?'라는 뜻으로 공손하게 상대방의 허락을 요청하는 표현이다.

❶ The boy must be hungry. 그 남자아이는 배가 고픈 것이 틀림없다.

❷ We must not pick the apples. 우리는 그 사과들을 따면 안 된다.

❸ 제가 지금 쉬어도 될까요?

❹ He doesn't have to get up early tomorrow. 그는 내일 일찍 일어날 필요가 없다.

❺ Jane may not know my e-mail address. 제인은 내 이메일 주소를 모를지도 모른다.

6 허락의 의미를 나타내는 may 뒤에 not을 쓰면 '~하면 안 된 다'라는 뜻의 금지의 표현이 된다.
• 너는 그 개와 놀아도 된다. → 너는 그 개와 놀면 안 된다.

7 의무의 의미를 나타내는 must 뒤에 not을 쓰면 '~하면 안 된다'라는 금지의 표현이 된다.
• 너는 불을 꺼야 한다. → 너는 불을 끄면 안 된다.

8 have[has] to의 부정형은 don't[doesn't] have to이며 금지의 의미가 아닌 '~할 필요가 없다'라는 뜻이다.
• 우리 아버지는 그 자동차를 고치셔야 한다.
→ 우리 아버지는 그 자동차를 고치실 필요가 없다.

9 '제가 ~해도 될까요?'라고 정중하게 허락을 구하는 표현은 May I ~?이다.

10 may는 동사에 '~일지도 모른다'라는 추측의 의미를 더해 준다.

11 조동사 must는 동사에 '~임이 틀림없다'라는 추측의 의미를 더해 준다.

12 밑줄 친 must는 '~임이 틀림없다'라는 추측의 의미이므로 ❺가 알맞다. ❶~❹의 must는 '~해야 한다'라는 의무의 의미를 나타낸다.
• 제인은 자기 가방을 찾고 있었다. 저 가방은 그녀의 것이 틀림없다.
❶ 너는 네 방을 청소해야 한다.
❷ 우리는 여기에서 조용히 해야 한다.
❸ 너는 어두워지기 전에 집에 와야 한다.
❹ 너는 이를 닦아야 한다.
❺ 그는 졸린 것이 틀림없다.

13 밑줄 친 부분의 may는 '~일지도 모른다'라는 추측의 의미이므로, ❷가 알맞다. ❶, ❸~❺의 may는 '~해도 된다'라는 허가의 의미를 나타낸다.
• 내일은 추울지도 모른다.
❶ 너는 저 재킷을 사도 된다.
❷ 내가 틀릴지도 모른다.
❸ 제가 당신의 지우개를 사용해도 될까요?
❹ 너는 내 책을 빌려도 된다.
❺ 제가 지금 TV를 봐도 될까요?

14 ❸의 B에서 거절의 의미인 Sorry, but으로 대답하고 있으므로 you may는 you may not이 되어야 한다.
❶ A: 제가 이 셔츠를 입어 봐도 될까요?
B: 물론이죠.
❷ A: 제가 도와 드릴까요?
B: 네. 저는 티셔츠를 찾고 있어요.
❸ A: 제가 당신과 영어를 공부해도 될까요?
B: Sorry, but you may not. 미안하지만, 안 돼요.
❹ A: 제가 물을 좀 마셔도 될까요?
B: 그럼요. 여기 있어요.

❺ A: 제가 지금 집에 가도 될까요?
B: 네. 그래도 돼요.

15 첫 번째 문장은 '~일지도 모른다'라는 추측을 나타내는 조동사가 필요하고, 두 번째 문장은 '~해도 된다'라는 허가를 나타내는 조동사가 필요하다. 그러므로 빈칸에 공통으로 들어갈 수 있는 조동사는 may이다.

16 첫 번째 문장은 '~임이 틀림없다'라는 추측을 나타내는 조동사가 필요하고, 두 번째 문장은 '~해야 한다'라는 의무를 나타내는 조동사가 필요하다. 그러므로 빈칸에 공통으로 들어갈 수 있는 조동사는 must이다.

17 첫 번째 문장은 '~해야 한다'라는 의무의 조동사가 필요하고, 두 번째 문장은 '~하면 안 된다'라는 금지의 조동사가 필요하다. have[has] to와 must는 의무를 나타내는 표현이고, must not과 may not은 '~하면 안 된다'라는 금지의 표현이므로 ❶이 알맞다.

18 '~이 아닐지도 모른다'라는 추측의 의미는 「may not+동사 원형」으로 나타낸다.

19 '~해야 한다'라는 의무의 의미를 표현할 때 have[has] to를 쓰는데 주어가 복수(We)이므로 have to가 알맞다.

20 '~하면 안 된다'라는 금지의 뜻은 「must not[may not]+동사원형」을 쓴다.

21 '~일지도 모른다'라는 추측의 뜻은 「may+동사원형」을 쓴다.

22 '~해야 한다'라는 의무의 뜻은 「have[has] to+동사원형」을 쓰는데 주어가 2인칭(you)이므로 have to가 알맞다.

23 '틀림없이 ~일 것이다'라는 추측의 뜻은 「must+동사원형」을 쓴다.

24 '제가 ~해도 될까요?'라는 허락을 구하는 문장은 「May I+동사원형 ~?」으로 쓴다.

25 '~할 필요가 없다'는 「don't[doesn't] have to+동사원형」을 쓴다.

Wrap Up
135쪽

1 1 ~해도 된다   2 may
   3 not   4 May
   5 추측

2 1 ~해야 한다   2 ~해서는 안 된다
   3 has   4 don't
   5 ~임이 틀림없다

Check up
not, must, may, have

만화 해석
엄마: 잭, 너는 이 상자를 열면 안 돼.
잭: 네, 엄마.
서니: 이건 틀림없이 나를 위한 선물일 거야.

잭: 아니야! 그것은 나를 위한 선물이 틀림없어.

잭: 아빠, 제가 상자를 열어도 될까요?

아빠: 그래, 그래도 돼. 하지만 조심해야 한다.

서니: 하하, 너를 위한 선물이네.

Review Test · 03 136~139쪽

1 ❺	2 ❸	3 ❸	4 ❷
5 ❷	6 ❺	7 ❶	8 ❹
9 ❷	10 ❹	11 ❸	12 ❶
13 ❸	14 ❸	15 ❸	

16 may visit

17 may[must] not chew

18 can write

19 Can you find my umbrella for me?

20 May I watch a movie on the computer?

해설

1 조동사의 부정문은 조동사 뒤에 not을 써서 「주어+조동사
+not+동사원형 ~.」으로 쓴다.
  - ❶ 나는 스케이트를 잘 탈 수 있다.
  - ❷ 수잔은 자전거를 탈 것이다.
  - ❸ 그 아이는 지도를 읽지 못한다.
  - ❹ 우리는 동물원에 가지 않을 것이다.
  - ❺ He will not play table tennis. 그는 탁구를 치지 않을
    것이다.

2 ❸에서 주어가 3인칭 단수(He)이므로 don't have to가 아
니라 doesn't have to가 알맞다.
  - ❶ 너는 지금 집에 가도 된다.
  - ❷ 우리는 여기에서 떠들면 안 된다.
  - ❸ He doesn't have to get up early. 그는 일찍 일어날
    필요가 없다.
  - ❹ 그들은 숙제를 해야 한다.
  - ❺ 너는 지금 TV를 보면 안 된다.

3 능력을 나타내는 can은 be able to로 바꿔 쓸 수 있다. 주
어가 복수이고 cannot은 부정형이므로 be동사 뒤에 not을
붙인 aren't able to가 알맞다.
  - 펭귄은 날지 못한다.

4 의무를 나타내는 must는 have[has] to로 바꿔 쓸 수 있고,
주어가 3인칭 단수(He)이므로 has to를 쓴다.
  - 그는 자기 방을 청소해야 한다.

5 조동사가 있는 평서문을 의문문으로 바꿀 때에는 조동사를 주
어 앞으로 보내 「조동사+주어+동사원형 ~?」으로 쓴다.
  - 제이슨은 그 경주에서 우승할 것이다.
    → 제이슨은 그 경주에서 우승할까?

6 조동사의 부정문은 조동사 뒤에 not을 써서 「주어+조동사+
not+동사원형 ~.」으로 쓴다.

- 내일은 비가 올지도 모른다.
  → 내일은 비가 오지 않을지도 모른다.

7 have to의 부정형은 don't[doesn't] have to이고, 주어가
복수(They)이므로 don't have to를 쓴다.
  - 그들은 창문을 닦아야 한다.
    → 그들은 창문을 닦을 필요가 없다.

8 조동사 can은 '~해도 된다'라는 허가의 뜻을 나타낸다.
  - ❶ 너는 내 자를 사용할 것이다.
  - ❷ 너는 내 자를 사용해야 한다.
  - ❸ 너는 내 자를 사용해야 한다.
  - ❹ 너는 내 자를 사용해도 된다.
  - ❺ 너는 내 자를 사용할 수 있다.

9 '~일지도 모른다'라는 추측의 의미를 나타내는 조동사는
may이다.
  - ❶ 그 남자아이는 배가 고플 것이다.
  - ❷ 그 남자아이는 배가 고플지도 모른다.
  - ❸ 그 남자아이는 배가 고픈 것이 틀림없다.
  - ❹ 그 남자아이는 배가 고파야 한다.

10 '~이 틀림없다'라는 추측의 의미를 나타내는 조동사는 must
이다.
  - ❶ 그는 자기 개를 사랑할 것이다.
  - ❷ 그는 자기 개를 사랑할 수 있다.
  - ❸ 그는 자기 개를 사랑할지도 모른다.
  - ❹ 그는 자기 개를 사랑하는 것이 틀림없다.
  - ❺ 그는 자기 개를 사랑해야 한다.

11 능력을 나타내는 조동사 can을 부정하면 '~하지 못한다'라는
뜻이므로 첫 번째 빈칸에는 can't가 알맞다. '~해 주시겠어요?'
라고 상대방에게 요청할 때 「Can you+동사원형 ~,
please?」를 쓸 수 있으므로 두 번째 빈칸에는 Can이 알맞다.

12 '제가 ~해도 될까요?'라고 허락을 구할 때는 「May I+동사원
형 ~?」을 쓴다. '~해야 한다'는 must를 쓴다.

13 '너는 ~할 거니?'는 Will you ~?를 쓴다. '틀림없이 ~일 것
이다'는 must를 쓴다.

14 ❸에서 Yes 뒤에는 긍정의 의미인 I am을 써야 한다.
  - ❶ *A*: 제가 오늘 밤 당신에게 전화해도 될까요?
    B: 미안하지만, 안 돼요.
  - ❷ *A*: 그들은 내일 하이킹하러 갈까?
    B: 응, 그럴 거야.
  - ❸ *A*: 너는 기타를 칠 수 있니?
    B: Yes, I am. 응, 할 수 있어.
  - ❹ *A*: 빌은 스키를 탈 수 있니?
    B: 응, 할 수 있어.
  - ❺ *A*: 그녀는 일본어를 말할 수 있니?
    B: 아니, 못해.

15 ❸은 내일 시험이 있다는 상대방에게는 must not이 아니라
must를 사용해서 오늘 열심히 공부해야 한다고 말하는 것이
자연스럽다.
  - ❶ *A*: 내가 네 가위를 빌려도 되니?
    B: 물론이지. 여기 있어.

❷ A: 그녀는 켈리가 틀림없다.

B: 응. 그녀는 항상 초록색 모자를 써.

❸ A: 나는 내일 시험이 있다.

B: You must study hard today.
너는 오늘 열심히 공부해야 한다.

❹ A: 제가 그 의자에 앉아도 될까요?

B: 네, 그래도 돼요.

❺ A: 내 가방을 날라 줄 수 있니?

B: 미안하지만, 안 돼.

16 '~일지도 모른다'는 「may+동사원형」으로 나타낸다.

17 '~하면 안 된다'라고 금지를 표현할 때는 「may[must] not +동사원형」으로 나타낸다.

18 '~할 수 있다'는 「can+동사원형」으로 쓴다.

19 상대방에게 '~해 줄 수 있니?'라고 요청할 때는 「Can you +동사원형 ~?」을 쓴다.

20 '제가 ~해도 될까요?'라고 허락을 구할 때는 「May I+동사원형 ~?」을 쓴다.

Unit 07 조동사 (3)

01 조동사 should와 had better

만화 해석   142쪽

서니: 정말 멋지구나!

잭: 너는 내 눈사람을 만지지 않는 것이 좋겠어.

서니: 너는 조심하는 것이 좋겠어.

잭: 아야!

Grammar Walk!   143쪽

A 1 should exercise   2 should brush
3 should not   4 shouldn't watch
5 had better   6 had better
7 had better not   8 not play

B 1 **b.**   2 **d.**   3 **a.**   4 **c.**

해설 **A** 1 너는 규칙적으로 운동하는 것이 좋겠다.

2 그는 지금 이를 닦는 것이 좋겠다.

3 우리는 여기에서 물고기를 잡지 않는 것이 좋겠다.

4 닉은 지금 TV를 보지 않는 것이 좋겠다.

5 너는 네 숙제를 끝내는 것이 좋겠다.

6 제인은 외투를 입는 것이 좋겠다.

7 그는 늦게 잠자리에 들지 않는 것이 좋겠다.

8 그녀는 밤에 피아노를 치지 않는 것이 좋겠다.

B 1 나는 졸리다.

– b. 너는 지금 잠자리에 드는 것이 좋겠다.

2 이 개는 화가 나 보인다.

– d. 너는 그것을 만지지 않는 것이 좋겠다.

3 이 우유는 상한 냄새가 난다.

– a. 너는 그것을 마시지 않는 것이 좋겠다.

4 나는 이가 아프다.

– c. 너는 치과에 가는 것이 좋겠다.

02 Will you ~? / Shall I[we] ~? / Would you like to ~?

만화 해석   144쪽

서니: 조용히 해 줄래?

잭: 아이고!

Grammar Walk!   145쪽

A 1 Will you go   2 Will you
3 Shall I   4 Shall I
5 we dance   6 like to have
7 you like to   8 like to read

B 1 **c.**   2 **d.**   3 **a.**   4 **c.**
5 **b.**

해설 **A** 1 나와 콘서트에 가 주겠니?

2 내가 숙제하는 것을 도와주겠니?

3 내가 소리를 줄일까?

4 내가 불을 켤까?

5 우리 함께 춤을 출까?

6 피자를 좀 드시겠어요?

7 주스를 좀 드시겠어요?

8 나는 이 책을 읽고 싶다.

B 1 내게 네 책을 빌려 주겠니?

2 우리 지금 산책할까?

3 제 파티에 오시겠어요?

4 그 문을 열어 주겠니?

5 내가 창문을 닫을까?

Grammar Run!   146~147쪽

A 1 ❷   2 ❷   3 ❶   4 ❶
5 ❷   6 ❷   7 ❷   8 ❶
9 ❶   10 ❶   11 ❶   12 ❷

B **1** should   **2** shouldn't
3 had better   **4** had better not
5 had better   **6** Will
7 Will   **8** Shall
9 Shall   **10** Would
11 like to   **12** I'd like

해설 **A 1** 너는 도시락을 가져오는 것이 좋겠다.
2 너는 정크 푸드를 너무 많이 먹지 않는 것이 좋겠다.
3 너는 오늘 집에 일찍 오는 것이 좋겠다.
4 우리는 숙제를 잊어버리지 않는 것이 좋겠다.
5 이 탁자를 옮겨 주겠니?
6 내게 네 자를 빌려 주겠니?
7 내가 그의 이메일에 답장할까?
8 우리 공원에서 자전거를 탈까?
9 우리 스파게티를 좀 먹을까?
10 오늘 농구를 하시겠어요?
11 내일 썰매를 타러 가시겠어요?
12 나는 보드 게임을 하고 싶다.

Grammar Jump!

148~149쪽

A 1 should keep   **2** should pick up
3 should not waste   **4** should not shout
5 had better listen   **6** had better not use
7 had better not fight   **8** Will, water
9 Will, turn down   **10** Shall, tell
11 Shall, take   **12** Would, like to try
13 Would, like to dance   **14** Would, like to go
15 I'd like to buy

B 1 should take   **2** should not drink
3 had better go   **4** should not run
5 Will, paint   **6** Will, lend
7 Shall, invite   **8** Shall, meet
9 like to play   **10** would like to become

해설 **A 1** 너는 네 약속을 지키는 것이 좋겠다.
2 너는 쓰레기를 줍는 것이 좋겠다.
3 우리는 물을 낭비하지 않는 것이 좋겠다.
4 그는 거리에서 소리를 지르지 않는 것이 좋겠다.
5 너는 주의해서 듣는 것이 좋겠다.
6 우리는 그 칼을 사용하지 않는 것이 좋겠다.
7 그는 빌과 싸우지 않는 것이 좋겠다.
8 그 식물에 물을 주겠니?
9 음악 소리를 줄여 주겠니?

10 내가 네게 비밀을 말해 줄까?
11 우리 기차 탈까?
12 그 신발을 신어 보시겠어요?
13 춤을 추시겠어요?
14 로마에 가시겠어요?
15 나는 이 바지를 사고 싶다.

B 1 *A*: 나는 매우 피곤하다.
　B: 너는 쉬는 것이 좋겠다.
2 *A*: 나는 밤에 잘 못 잔다.
　B: 너는 자기 전에 커피를 마시지 않는 것이 좋겠다.
3 *A*: 나는 독감에 걸렸다.
　B: 너는 병원에 가는 것이 좋겠다.
4 *A*: 너는 수영장에서 뛰지 않는 것이 좋겠다.
　B: 아, 미안해요.
5 *A*: 그 개집을 페인트칠해 주겠니?
　B: 응, 그럴게.
6 *A*: 내게 네 지우개를 빌려 주겠니?
　B: 미안하지만, 안 돼.
7 *A*: 내가 데이브를 파티에 초대할까?
　B: 좋은 생각이야.
8 *A*: 우리 3시에 만날까?
　B: 좋아. 그때 만나자.
9 *A*: 배드민턴을 치시겠어요?
　B: 네, 그러고 싶어요.
10 *A*: 나는 패션 디자이너가 되고 싶다.
　B: 그거 좋겠다. 너는 유명한 디자이너가 될 것이다.

Grammar Fly!

150~151쪽

A 1 You should not touch the painting.
2 We should eat lots of vegetables.
3 We should turn off our cell phones.
4 You had better go to bed early.
5 She had better not go out today.
6 Will you give me a newspaper?
7 Will you find my dog?
8 Shall we go to the gallery today?
9 Shall I fix your bike?
10 Would you like to try on this jacket?
11 Would you like to have some cake?
12 I would like to ride a roller coaster.

B 1 We should exercise regularly.
2 You should wash your hair today.

3 You shouldn't eat too much chocolate.
4 They had better go home before dark.
5 You had better not make noise in class.
6 Will you send me a text message?
7 Will you lend me your book?
8 Shall we do the homework together?
9 Shall I feed the bird?
10 Would you like to drink some water?
11 Would you like to go shopping with me?
12 I'd like to become a pilot.

Grammar & Writing

152~153쪽

A **1** You should not eat too many sweets.
2 You should drink some warm water.
3 You should not drink coffee before bed.
4 You should take some medicine.
5 You should not eat spicy food.

B **1** Will you take out the garbage
2 Will you water the plants
3 Will you feed Tabby
4 Will you answer the phone
5 Will you walk Max

해설 **A** **1** (단 것을 너무 많이 먹다)
　　A: 저는 이가 아파요.
　　B: 너는 단것을 너무 많이 먹지 않는 것이 좋겠다.
2 (따뜻한 물을 조금 마시다)
　　A: 저는 목이 아파요.
　　B: 너는 따뜻한 물을 조금 마시는 것이 좋겠다.
3 (자기 전에 커피를 마시다)
　　A: 저는 밤에 잘 수가 없어요.
　　B: 너는 자기 전에 커피를 마시지 않는 것이 좋겠다.
4 (약을 조금 먹다)
　　A: 저는 독감에 걸렸어요.
　　B: 너는 약을 조금 먹는 것이 좋겠다.
5 (매운 음식을 먹다)
　　A: 저는 배가 아파요.
　　B: 너는 매운 음식을 먹지 않는 것이 좋겠다.

B **1** (쓰레기를 밖에 내다 놓다)
　　엄마: 산아, 쓰레기를 밖에 내놓겠니?
　　산: 알았어요.
2 (식물에 물을 주다)
　　아빠: 하늘아, 그 식물에 물을 주겠니?
　　하늘: 그럼요!

3 (태비에게 먹이를 주다)
　　엄마: 산아, 태비에게 먹이를 주겠니?
　　산: 네, 그럴게요.
4 (전화를 받다)
　　엄마: 산아, 전화를 받아 주겠니?
　　산: 네, 그럴게요.
5 (맥스를 산책시키다)
　　아빠: 하늘아, 맥스를 산책시켜 주겠니?
　　하늘: 물론이죠, 그럴게요.

UNIT TEST ·· 07

154~158쪽

1 ❹	2 ❺	3 ❸	4 ❹
5 ❷	6 ❶	7 ❹	8 ❺
9 ❸	10 ❶	11 ❹	12 ❷
13 ❶	14 ❸	15 ❹	16 ❹
17 ❷	18 had better not		

19 Would you like to　**20** should eat
21 had better leave　**22** Shall we go
23 Will you help
24 Would you like to buy the book?
25 You had better not run in the classroom.

해설

1 '~하지 않는 것이 좋겠다'라는 뜻의 had better의 부정은 had better 뒤에 not을 써서 「had better not+동사원형」으로 쓴다.
❶ 너는 안전띠를 매는 것이 좋겠다.
❷ 우리는 그 그림들을 만지지 않는 것이 좋겠다.
❸ 너는 일찍 잠자리에 드는 것이 좋겠다.
❹ He had better not jump on the bed. 그는 침대 위에서 뛰지 않는 것이 좋겠다.
❺ 나는 만화책을 읽고 싶다.

2 '~하지 않는 것이 좋겠다'라는 뜻으로 동사에 충고의 의미를 더해 주는 말은 shouldn't이고, shouldn't 뒤에는 동사원형이 온다.
❶ You had better brush your teeth. 너는 이를 닦는 것이 좋겠다.
❷ Suji should finish her homework. 수지는 숙제를 끝내는 것이 좋겠다.
❸ He had better not run in the hall. 그는 복도에서 뛰지 않는 것이 좋겠다.
❹ I'd like to play chess. 나는 체스를 두고 싶다.
❺ 너는 TV를 너무 많이 보지 않는 것이 좋겠다.

3 'OK.'는 상대방의 제안을 수락할 때 쓰는 말이므로 '우리 ~할까?'라는 의미로 상대방의 의견을 묻거나 상대방에게 제

안하는 표현인 Shall we ~?가 알맞다.

  A: 우리 산책할까?　　　*B*: 좋아.

4 '안 된다'라는 뜻의 I can't.로 대답하였으므로 '~해 주겠니?'라는 의미로 상대방에게 요청하거나 부탁할 때 쓰는 Will you ~?가 알맞다.
- *A*: 내게 네 만화책을 빌려 주겠니? *B*: 미안하지만, 안 돼.

5 '~를 하고 싶다'라는 뜻의 would like to를 써서 대답하였으므로 '~하시겠어요?', '~하고 싶으세요?'라고 상대방의 의향을 묻거나 상대방에게 정중하게 권유할 때 쓰는 Would you like to ~?가 알맞다.
- *A*: 내일 스케이트를 타러 가시겠어요?
- *B*: 네, 그러고 싶어요.

6 '~하는 것이 좋겠다'라고 충고할 때는 should를 쓴다.
- 소라는 아파 보인다. 그녀는 병원에 가 보는 것이 좋겠다.

7 '~하지 않는 것이 좋겠다'라고 충고 또는 경고를 할 때는 had better not을 쓴다.
- 이 우유는 상한 냄새가 난다. 우리는 그것을 마시지 않는 것이 좋겠다.

8 '~해 주겠니?'라고 상대방에게 요청하거나 부탁할 때는 Will you ~?를 쓴다.

9 '~하시겠어요?', '~하고 싶으세요?'라고 상대방의 의향을 묻거나 상대방에게 정중하게 권유할 때는 Would you like to ~?를 사용한다.

10 '내가 ~할까?'라는 뜻으로 상대방의 의견을 묻거나 상대방에게 제안할 때는 Shall I ~?를 쓴다.

11 내일 시험이 있다는 친구에게는 열심히 공부하는 것이 좋겠다라고 충고하는 것이 자연스럽다. 「had better+동사원형」은 '~하는 것이 좋겠다'라는 뜻으로 그렇게 하지 않으면 안 좋은 일이 생길 것이라는 충고 또는 경고의 의미를 담고 있다.
  A: 나는 내일 영어 시험이 있다.
  B: 너는 지금 공부하는 것이 좋겠다.

12 「should not+동사원형」은 '~하지 않는 것이 좋겠다'라는 뜻으로 동사에 충고의 의미를 더해 준다.
  A: 도서관에서 시끄럽게 하지 않는 것이 좋겠다.
  B: 아, 미안해요.

13 「I would like to(=I'd like to)+동사원형」은 '나는 ~하고 싶다'라는 뜻으로 자신이 원하는 것을 공손하게 표현할 때 쓴다.
  A: 나는 과학자가 되고 싶다.
  B: 좋아. 너는 훌륭한 과학자가 될 것이다.

14 '~해 주겠니?'라는 뜻으로 상대방에게 요청하거나 부탁할 때는 Will you ~?를 쓰고, '~할 것이다', '~일 것이다'라는 뜻으로 동사에 미래의 의미를 더해 줄 때는 동사원형 앞에 will을 쓴다.
- 샘, 내 숙제를 도와주겠니?
- 그 기차는 3시에 도착할 것이다.

15 「I would like to+동사원형」은 '나는 ~하고 싶다', Would you like to ~?는 '~하시겠어요?, ~하고 싶으세요?'라는 뜻이다.
- 나는 그림을 그리고 싶다.

- 롤러코스터를 타시겠어요?

16 비가 올지도 모르는데 shouldn't를 사용해서 우산을 가져가지 않는 것이 좋겠다고 충고하는 것은 어색하다.
  ❶ *A*: 나는 피곤하다.
    B: 너는 쉬는 것이 좋겠다.
  ❷ *A*: 그는 매우 목이 마르다.
    B: 우리는 그에게 물을 조금 주는 것이 좋겠다.
  ❸ *A*: 그녀는 머리가 아프다.
    B: 그녀는 병원에 가 보는 것이 좋겠다.
  ❹ *A*: 오늘 비가 내릴지도 모른다.
    B: 너는 우산을 가져가지 않는 것이 좋겠다.
  ❺ *A*: 나는 케이크를 조금 먹고 싶다.
    B: 알았어. 여기 있다.

17 Shall we ~?는 '우리 ~할까?'라는 뜻으로 상대에게 제안하는 표현이다. 제안을 받아들일 때는 Yes, let's., 제안을 거절할 때는 No, let's not.으로 대답한다.
  ❶ *A*: 내게 네 연필을 빌려 주겠니? / *B*: 응. 여기 있다.
  ❷ *A*: 우리 함께 자전거를 탈까? / *B*: Yes, let's. 응. 그러자.
  ❸ *A*: 체스를 두시겠어요?
    B: 미안하지만, 안 돼. 나는 바쁘다.
  ❹ *A*: 내가 도시락을 가져올까?
    B: 그래. 우리는 밖에서 점심 식사를 할 것이다.
  ❺ *A*: 캠핑하러 가시겠어요? / *B*: 네, 그러고 싶어요.

18 '~하지 않는 것이 좋겠다'라고 충고하거나 경고할 때 had better not을 쓴다.

19 '~하시겠어요?'라고 상대방에게 정중하게 권유할 때 Would you like to ~?를 쓴다.

20 '~하는 것이 좋겠다'라고 충고할 때 「should+동사원형」을 쓴다.

21 '~하는 것이 좋겠다'라는 뜻으로 상대방에게 충고할 때 「had better+동사원형」을 쓸 수 있다.

22 '우리 ~할까?'라는 뜻으로 상대방에게 제안할 때는 Shall we ~?를 쓴다.

23 '~해 주겠니?'라는 뜻으로 상대방에게 요청하거나 부탁할 때는 Will you ~?를 쓴다.

24 '~하시겠어요?'라는 뜻으로 상대방에게 정중하게 권유할 때 「Would you like to+동사원형 ~?」의 순으로 쓴다.

25 '~하지 않는 것이 좋겠다'라는 뜻으로 경고할 때는 「had better not+동사원형」으로 쓴다.

Wrap Up
159쪽

1　1　not　　2　had　　3　better
2　1　~해 주겠니?　　2　우리 ~할까?

Check up
Would, Shall, had

만화 해석

아빠: 저와 춤을 추시겠어요?

엄마: 네, 그래요.

서니: 음악 소리 좀 줄여 주시겠어요?

아빠: 아, 미안. 우리 함께 춤출까?

아빠: 서니야, 너는 스노위와 춤을 추지 않는 것이 좋을 거야.

서니: 아! 안 돼.

Unit 08 여러 가지 문장

01 명령문과 감탄문

만화 해석 162쪽

서니: 일어서, 스노위.

친구: 아주 영리한 개구나!

스노위: 뿡!

서니: 아, 스노위! 집에 가자.

Grammar Walk! 163쪽

A
1 Open   2 Be   3 Don't
4 or   5 and   6 draw
7 Let's not

B
1 ❶   2 ❷   3 ❶
4 ❷   5 ❷   6 ❶

해설 A 1 문을 열어 주세요.

2 네 친구들에게 친절하게 대해라.

3 TV를 켜지 마라.

4 서둘러라, 그러지 않으면 너는 학교에 지각할 것이다.

5 규칙적으로 운동해라, 그러면 너는 건강해질 것이다.

6 그림을 그리자.

7 거짓말하지 말자.

B 1 그는 매우 친절한 남자아이구나!

2 그 나무는 매우 크구나!

3 그것은 매우 큰 배구나!

4 그 인형은 매우 예쁘구나!

5 그것들은 매우 아름다운 꽃들이구나!

6 그 판다는 무척 게으르구나!

---

02 부가 의문문

만화 해석 164쪽

잭: 좋은 날이에요, 그렇지 않나요? 테니스를 쳐요.

아빠: 미안하지만, 안 돼.

잭: 아빠, 제발요.

아빠: 그러지 마라, 알았지?

Grammar Walk! 165쪽

A
1 aren't   2 wasn't   3 doesn't
4 don't   5 was   6 does
7 did

B
1 ○   2 X   3 X   4 ○
5 X   6 ○

해설 A 1 너는 캐나다 출신이야, 그렇지 않니?

2 너희 어머니는 간호사셨어, 그렇지 않니?

3 마이크는 학교에 자전거를 타고 가, 그렇지 않니?

4 너는 바이올린 교습을 받아, 그렇지 않니?

5 그는 도서관에 있지 않았어, 그렇지?

6 그녀는 공포 영화를 좋아하지 않아, 그렇지?

7 그들은 축구를 하지 않았어, 그렇지?

B 1 너는 스키를 탈 수 있어, 그렇지 않니?

2 He will do his homework, won't he? 그는 숙제를 할 거야, 그렇지 않니?

3 Ann can't come to my party, can she? 앤은 내 파티에 오지 못해, 그렇지?

4 그들은 연주회에 가지 않을 거야, 그렇지?

5 Don't walk on the grass, will you? 잔디 위를 걷지 마라, 알았지?

6 눈싸움하자, 그럴래?

Grammar Run! 166~167쪽

A
1 Listen   2 Be honest
3 Don't worry   4 Don't be
5 or   6 and
7 and   8 or
9 Let's start   10 Let's not go
11 Let's have   12 What
13 How   14 What
15 How

B
1 weren't 2 isn't 3 doesn't
4 won't 5 can't 6 won't
7 did 8 do 9 can
10 will 11 will 12 will
13 will 14 shall 15 shall

해설 **B** 1 너는 오늘 오후에 쇼핑몰에 있었어, 그렇지 않니?
2 하나의 아버지는 배우셔, 그렇지 않니?
3 애벌레는 나비로 변해, 그렇지 않니?
4 그들은 부산으로 여행을 갈 거야, 그렇지 않니?
5 너는 오늘 밤에 나를 도와줄 수 있어, 그렇지 않니?
6 아빠는 텐트를 사실 거야, 그렇지 않니?
7 그들은 영화를 보러 가지 않았어, 그렇지?
8 너는 새 가방이 필요하지 않아, 그렇지?
9 제이크는 책장을 옮길 수 없어, 그렇지?
10 그녀는 우리와 함께 공부하지 않을 거야, 그렇지?
11 그 방에 들어가지 마라, 알았지?
12 쓰레기는 쓰레기통에 버려라, 알았지?
13 소파에서 점프하지 마라, 알았지?
14 그 꽃들을 그리자, 그럴래?
15 여기서 사진 찍지 말자, 그럴래?

Grammar Jump!
168~169쪽

A
1 Pass 2 Write
3 Don't 4 don't waste
5 or 6 and
7 Let's 8 Let's not
9 Let's 10 What
11 What 12 How

B
1 isn't it 2 wasn't she
3 don't you 4 didn't she
5 can't you 6 won't they
7 were you 8 does he
9 can he 10 will she
11 will you 12 will you
13 will you 14 shall we
15 shall we

해설 **B** 1 오늘은 목요일이야, 그렇지 않니?
2 그녀는 비행기 조종사였어, 그렇지 않니?
3 너는 새 신발을 가지고 있어, 그렇지 않니?
4 낸시는 그 시험에 통과했어, 그렇지 않니?
5 너는 영어로 일기를 쓸 수 있어, 그렇지 않니?

6 그 아이들은 롤러코스터를 탈 거야, 그렇지 않니?
7 너[너희]는 그때 피곤하지 않았어, 그렇지?
8 해리는 국수를 좋아하지 않아, 그렇지?
9 그 남자는 그 바위를 들어 올릴 수 없어, 그렇지?
10 그녀는 치과에 가지 않을 거야, 그렇지?
11 잠자리에 들기 전에 숙제를 끝마쳐라, 알았지?
12 네 풀을 내게 빌려 줘라, 알았지?
13 산에서 불을 피우지 마라, 알았지?
14 저 할머니를 도와 드리자, 그럴래?
15 강에서 수영하지 말자, 그럴래?

Grammar Fly!
170~171쪽

A
1 Raise your hands.
2 Don't look at the answers.
3 Wash your hands, and I'll give you pizza.
4 Let's meet at the subway station.
5 Let's not go to the mountain.
6 What a difficult question it is!
7 How delicious these cookies are!
8 This is your pencil case, isn't it?
9 He doesn't need a new notebook, does he?
10 Bears can catch fish, can't they?
11 Put on your gloves, will you?
12 Let's clean the living room, shall we?

B
1 Be kind to your friends.
2 Don't call me late at night.
3 Feed the dog, or he will be hungry.
4 Let's have a snack.
5 What a lovely girl she is!
6 How fun the festival is!
7 Today is November 10th, isn't it?
8 Frogs don't like snakes, do they?
9 She can't move the bookcase, can she?
10 You will take care of the dog, won't you?
11 Turn off the TV, will you?
12 Let's listen to music, shall we?

해설 **A** 1 손을 들어라.
2 정답을 보지 마라.
3 손을 씻어라, 그러면 내가 네게 피자를 줄 것이다.
4 지하철역에서 만나자.
5 산에 가지 말자.
6 그것은 매우 어려운 질문이구나!

7 이 쿠키들은 무척 맛있구나!

8 이것은 네 필통이야, 그렇지 않니?

9 그는 새 공책이 필요하지 않아, 그렇지?

10 곰은 물고기를 잡을 수 있어, 그렇지 않니?

11 네 장갑을 껴라, 알았지?

12 거실을 청소하자, 그럴래?

Grammar & Writing
172~173쪽

A **1** swims fast, doesn't it

    2 doesn't have legs, does it

    3 is tall, isn't it

    4 can carry heavy things, can't they

    5 can't fly, can they

B **1** What a beautiful painting

    2 What pretty dolls

    3 What a thick book

    4 What an old trunk

    5 What delicious cookies

    6 What funny masks

해설 **A** **1** (빠르게 수영하다)

    A: 거북이는 빠르게 수영해, 그렇지 않니?

    B: 응, 그래.

  2 (다리를 가지고 있지 않다)

    A: 뱀은 다리를 가지고 있지 않아, 그렇지?

    B: 응, 없어.

  3 (키가 크다)

    A: 기린은 키가 커, 그렇지 않니?

    B: 응, 그래.

  4 (무거운 것들을 나를 수 있다)

    A: 코끼리는 무거운 것들을 나를 수 있어, 그렇지 않니?

    B: 응, 그래.

  5 (날 수 없다)

    A: 타조는 날지 못해, 그렇지?

    B: 응, 못해.

  B **1** 그것은 무척 아름다운 그림이구나! (아름다운 그림)

    2 그것들은 매우 예쁜 인형들이구나! (예쁜 인형들)

    3 그것은 무척 두꺼운 책이구나! (두꺼운 책)

    4 그것은 아주 낡은 트렁크구나! (낡은 트렁크)

    5 그것들은 무척 맛있는 쿠키들이구나! (맛있는 쿠키들)

    6 그것들은 매우 우스운 가면들이구나! (우스운 가면들)

Unit Test · 08
174~178쪽

1 ④	**2** ④	**3** ③	**4** ②
5 ①	**6** ③	**7** ⑤	**8** ④
9 ②	**10** ④	**11** ②	**12** ⑤
13 ②	**14** ④	**15** ⑤	**16** ①
17 ④	**18** How beautiful		

19 What a strong   **20** doesn't   **21** will

22 Finish your homework before bed.

23 Let's go to the movies, shall we?

24 Go straight, and you'll see the post office.

25 Let's not make noise here.

해설

1 '~하자.'라고 제안할 때는 「Let's+동사원형 ~.」으로 쓴다. 따라서 ④의 Let's 뒤에는 go를 써야 한다.

  ❶ 창문을 열어 주세요.

  ❷ 그 방에 들어가지 마라.

  ❸ 도서관에서 조용히 해라.

  ❹ Let's go swimming this afternoon.
    오늘 오후에 수영하러 가자.

  ❺ 농구를 하지 말자.

2 감탄하는 문장을 나타낼 때는 「What+(a/an)+형용사+명사+주어+동사!」를 쓰거나 「How+형용사[부사]+주어+동사!」를 쓴다. ④는 tall trees라는 「형용사+명사」가 쓰였으므로 How가 아니라 What이 알맞다.

  ❶ 그것은 매우 예쁜 인형이구나!

  ❷ 강아지가 무척 귀엽구나!

  ❸ 그는 무척 좋은 남자아이구나!

  ❹ What tall trees they are! 그것들은 매우 큰 나무들이구나!

  ❺ 그 치타는 매우 빨리 달리는구나!

3 「명령문, and ~.」는 '~해라, 그러면 …할 것이다.'라는 뜻으로 명령문으로 지시한 행동을 했을 경우 따라올 결과가 and 뒤에 나온다.

  • 이 길로 가라, 그러면 은행이 보일 것이다.

4 앞 문장이 긍정이면 「be동사/do동사/조동사의 부정형+주어(대명사)?」의 형태로 부정의 부가 의문문을 쓴다. 앞에 쓰인 동사가 일반동사 have이므로 do동사의 부정형인 don't를 쓴다.

  • 너는 고양이를 가지고 있어, 그렇지 않니?

5 앞 문장이 부정이면 「be동사/do동사/조동사+주어(대명사)?」의 형태로 긍정의 부가 의문문을 쓴다. 앞에 쓰인 동사가 isn't이므로 is를 쓴다.

  • 메리는 미국 출신이 아니야, 그렇지?

6 명령문을 부정문으로 바꿀 때는 동사원형 앞에 Don't를 붙인다.

  • 손을 들어라. → 손을 들지 마라.

7 Let's로 시작하는 문장을 부정문으로 바꿀 때는 Let's 뒤에 not을 붙인다.

- 방과 후에 자전거를 타자. → 방과 후에 자전거를 타지 말자.

8 감탄문이 '매우 ∼한 …이구나!' 하고 명사를 강조할 때는 what을 사용해서 「What+(a/an)+형용사+명사(+주어+동사)!」의 형태로 쓴다. girl이 단수이므로 빈칸에는 What a가 알맞다.

9 '∼해라. 그러지 않으면 …할 것이다.'는 「명령문, or ∼.」이다.

10 '∼하지 마라.'라는 뜻의 부정 명령문은 「Don't+동사원형 ∼.」으로 쓴다.

11 let's 뒤에 동사원형이 와서 「Let's+동사원형 ∼.」으로 쓰면 '∼하자.'라는 뜻이 된다.
- *A*: 저 꽃들을 그리자. / *B*: 좋아. 그것들은 아름답다.

12 앞 문장이 부정문이므로 빈칸에는 긍정의 부가 의문문이 들어가야 한다. 앞 문장의 동사가 didn't join으로 일반동사의 부정형이고, 주어가 Kate로 3인칭 단수이면서 여성이므로 빈칸에는 did she가 알맞다.
- *A*: 케이트는 음악 동아리에 가입하지 않았어, 그렇지?
  B: 응, 그러지 않았어.

13 앞 문장이 조동사 can이 있는 긍정문이므로 밑줄 친 부분은 「조동사의 부정형+주어(대명사)?」의 형태로 부정의 부가 의문문이 되어야 한다. 주어가 You이므로 밑줄 친 부분은 can't you로 고쳐야 한다.
- 너는 피아노를 칠 수 있어, 그렇지 않니?

14 제안하는 문장의 부가 의문문은 부정, 긍정과 상관없이 모두 shall we?로 쓴다.
- 눈사람을 만들자, 그럴래?

15 첫 번째 문장은 '∼해라, 그러지 않으면 …할 것이다.'라는 뜻으로, 명령문대로 하지 않을 경우에 겪게 될 결과를 or 뒤에 나타낸다. 따라서 빈칸에는 미래를 나타내는 조동사 will이 알맞다. 두 번째 문장에서 명령문의 부가 의문문의 형태는 will you?이므로 빈칸에 will이 알맞다. 따라서 공통으로 들어갈 말은 will이다.
- 지금 출발해라, 그러지 않으면 너는 그 기차를 놓칠 것이다.
- 네 책상을 청소해라, 알았지?

16 첫 번째 문장의 빈칸에는 cute babies를 대신하는 말이 알맞고, 두 번째 문장의 빈칸에는 The girls를 대신하는 말이 알맞다. cute babies와 The girls는 3인칭이면서 복수이므로 they로 대신할 수 있다.
- 그들은 무척 귀여운 아기들이구나!
- 그 여자아이들은 서점에 있었어, 그렇지 않니?

17 첫 번째 문장의 빈칸에는 동사원형 앞에서 '∼하지 마라'라는 부정 명령문을 만드는 말인 Don't가 알맞다. 그리고 두 번째 문장은 일반동사의 현재형이 있는 긍정문에 「do동사의 부정형+주어(대명사)?」의 형태로 부정의 부가 의문문을 덧붙인 문장이다. 그러므로 두 번째 문장의 빈칸에도 don't가 알맞다.
- 거짓말하지 마라.
- 우리는 새 컴퓨터가 필요해, 그렇지 않니?

18 '∼은 매우 …하구나!'라는 뜻으로 감탄하는 문장은 「How+형용사+주어+동사!」로 쓸 수 있다.
- 그 해변은 무척 아름답다.

19 '매우 …한 ∼구나!'라는 뜻으로 감탄하는 문장은 「What+(a/an)+형용사+명사+주어+동사!」로 쓸 수 있다.
- 그는 매우 힘이 센 남자이다.

20 앞 문장이 긍정이면 「be동사/do동사/조동사의 부정형+주어(대명사)?」의 형태로 부정의 부가 의문문을 쓴다. 앞 문장에 일반동사의 3인칭 단수 현재형이 쓰였으므로 빈칸에는 doesn't가 알맞다.

21 앞 문장이 부정이면 「be동사/do동사/조동사+주어(대명사)?」의 형태로 긍정의 부가 의문문을 쓴다. 앞 문장에 조동사 won't가 쓰였으므로 빈칸에는 will이 알맞다.

22 '∼해라'라는 뜻의 명령문은 주어를 생략하고 동사원형으로 시작한다.

23 '∼하자.'라고 제안하는 문장은 「Let's+동사원형 ∼.」의 형태로 쓴다. 제안하는 문장의 부가 의문문은 shall we?로 제안하는 문장 뒤에 붙인다.

24 '∼해라, 그러면 …할 것이다.'라는 뜻의 문장은 「명령문, and ∼.」의 형태로 쓴다.

25 '∼하지 말자.'라고 제안하는 문장은 「Let's not+동사원형 ∼.」의 형태로 쓴다.

Wrap Up
179쪽

1 1 Don't 2 and 3 or 4 What
5 How

2 1 부정 2 긍정 3 will 4 shall

Check up
let's, Jump, What, will

만화 해석
잭: 블래키, 운동하자. 일어서!
잭: 위로 점프! 여기 네 음식이 있어.
잭: 너는 매우 나쁜 고양이구나!
엄마: 잭, 바닥을 청소하렴, 알았지?
잭: 네, 엄마.

Review Test · 04
180~183쪽

1 ④	2 ④	3 ④	4 ⑤
5 ③	6 ④	7 ②	8 ③
9 ⑤	10 ②	11 ③	12 ①
13 ⑤	14 ④	15 ③	

16 would, to **17** What a
18 Let's not **19** You should not waste water.
20 Be kind to your little brother, will you?

해설
1 '∼하시겠어요?'의 의미로 상대에게 정중하게 권유할 때는 「Would you like to+동사원형 ∼?」의 형태로 쓴다.
A: 모형 비행기를 날리시겠어요? / *B*: 네, 그러고 싶어요.

2 '우리 ∼할까?'라는 뜻으로 제안할 때 Shall we ∼?의 형태로 쓴다.

A: 우리 이번 주말에 해변에 갈까? / *B*: 좋은 생각이야.

3 '~해 주겠니?'라는 뜻으로 상대에게 부탁할 때 Will you ~? 의 형태로 쓴다.

　　A: 내게 포크를 건네주겠니? / *B*: 물론이지.

4 had better의 부정은 had better not으로 쓴다.
　❶ 너는 치과에 가는 것이 좋겠다.
　❷ 너는 조심하는 것이 좋겠다.
　❸ 우리는 늦게까지 깨어 있지 않는 것이 좋겠다.
　❹ 스케이트보드를 타지 말자.
　❺ You had better not eat the pizza. 너는 그 피자를 먹지 않는 것이 좋겠다.

5 '매우 ~한 …이구나!'라는 뜻으로 명사를 강조하는 감탄문은 「What+(a/an)+형용사+명사+주어+동사!」의 형태이므로 ❸에서 How는 What이 되어야 한다.
　❶ 시험에 대해 걱정하지 마라.
　❷ 그것들은 매우 귀여운 강아지들이구나!
　❸ What a pretty flower this is! 이것은 무척 예쁜 꽃이구나!
　❹ 이 주스를 마셔라, 그러지 않으면 너는 목이 마를 것이다.
　❺ 도서관에서 조용히 해라.

6 앞 문장이 부정이면 긍정의 부가 의문문을 써야 한다.
　❶ 오늘은 춥다, 그렇지 않니?
　❷ 수영하러 가자, 그럴래?
　❸ 너는 개를 가지고 있지 않아, 그렇지?
　❹ Kate didn't join the art club, did she? 케이트는 미술 동아리에 가입하지 않았어, 그렇지?
　❺ 그는 배구를 할 수 있어, 그렇지 않니?

7 '~해라, 그러면 …할 것이다.'는 「명령문, and ~.」의 형태로 쓴다.

8 '~하는 것이 좋겠다'라고 충고할 때는 조동사 should를 사용한다.

9 '~을 하고 싶다'는 「would like to+동사원형」의 형태로 쓴다.

10 '우리 ~할까?'는 Shall we ~?를 써서 나타낼 수 있고, 제안하는 문장의 부가 의문문은 항상 shall we?의 형태로 쓴다.
　・우리 소풍 갈까?
　・함께 수학을 공부하자, 그럴래?

11 tomorrow는 미래를 나타내는 말이고 '~할 것이다'라는 미래 시제는 조동사 will을 사용하여 나타낼 수 있다. 그리고 명령문의 부가 의문문은 항상 will you?로 쓴다.
　・나는 내일 제인에게 편지를 쓸 것이다.
　・여기에 쓰레기를 버리지 마라, 알았지?

12 첫 번째 문장에서 「명령문, and ~.」는 명령문대로 할 경우 and 뒤의 결과를 겪게 될 것이라는 의미이다. '지금 출발해라'와 '콘서트에 늦을 것이다'는 호응하지 않으므로 '그러지 않으면'을 뜻하는 or가 맞다. 두 번째 문장은 had better not이 알맞은 형태이다. had better의 had는 주어에 따라 바뀌지 않는다.
　・Leave now, or you'll be late for the concert.
　　지금 출발해라, 그러지 않으면 너는 연주회에 늦을 것이다.
　・You had better not swim in this river.
　　너는 이 강에서 수영하지 않는 것이 좋겠다.

13 '…이 매우 ~하구나!'라는 뜻으로 형용사나 부사를 강조하는 감탄문은 「How+형용사[부사]+주어+동사!」의 형태이므로 What을 How로 바꿔 쓴다. 두 번째 문장은, 앞에서 can't를 사용하였으므로 긍정의 부가 의문문 「can+주어(대명사)?」로 쓴다.
　・How beautiful the mountains are!
　　그 산들은 무척 아름답구나!
　・Your father can't fix the car, can he?
　　너희 아버지는 자동차를 고치실 수 없어, 그렇지?

14 No, let's not.은 '하지 말자.'는 뜻이므로, 뒷 문장이 자연스럽게 연결되려면 I'm busy.로 바꿔야 알맞다.
　❶ *A*: 네가 그 병을 열어 주겠니? *B*: 물론이지.
　❷ *A*: 뮤지컬을 보시겠어요? *B*: 네, 그리고 싶어요.
　❸ *A*: 나는 감기에 걸렸다. *B*: 너는 집에 머무르는 것이 좋겠다.
　❹ *A*: 우리 지금 체스를 둘까?
　　B: No, let's not. I'm busy. 아니, 그러지 말자. 나는 바쁘다.
　❺ *A*: 너는 그 물고기에게 먹이를 주는 것이 좋겠다.
　　B: 네, 엄마.

15 '정말 큰 나무'에 대해 Yes라고 답했으므로 not을 빼고 it's tall이라고 하거나, 대답 부분의 Yes를 No로 바꿔야 알맞다.
　❶ *A*: 모래성을 쌓자. *B*: 좋아.
　❷ *A*: 책상을 지금 치워라, 알지? *B*: 응, 그럴게.
　❸ *A*: 저것은 무척 큰 나무구나!
　　B: Yes, it's tall. 응, 그것은 커.
　❹ *A*: 저것은 멋진 집이야, 그렇지 않니? *B*: 응, 그래.
　❺ *A*: 너는 공포 영화를 좋아하지 않아, 그렇지?
　　B: 응, 좋아하지 않아.

16 '~하고 싶다'는 「would like to+동사원형」을 사용하여 나타낼 수 있다.

17 '매우 ~한 …이구나!'라는 뜻으로 명사를 강조하는 감탄문은 「What+a(an)+형용사+명사+주어+동사!」의 형태로 쓴다.

18 '~하지 말자.'는 「Let's not+동사원형 ~.」의 형태로 쓴다.

19 '~하지 않는 것이 좋겠다'라고 충고할 때는 should not 뒤에 동사원형을 쓴다.

20 명령문은 동사원형으로 시작하고, 명령문의 부가 의문문은 명령문 뒤에 will you?의 형태로 덧붙인다.

Final Test ·· 01
184~187쪽

1 ❺	2 ❸	3 ❹	4 ❶
5 ❸	6 ❹	7 ❹	8 ❶
9 ❸	10 ❺	11 ❷	12 ❹
13 ❸	14 ❷	15 ❶	

16 Are you, to exercise　17 Would, to listen
18 delicious, aren't they
19 Grace was buying presents for her parents.
20 Let's take the subway to the amusement park.

해설

1 주어가 3인칭 단수인 경우에는 일반동사의 3인칭 단수 현재형을 써야 한다. have의 3인칭 단수 현재형은 has이다.
❶ 그는 비행기 조종사이다.
❷ 그들은 우리 반 친구들이다.
❸ 줄리는 주말마다 자전거를 탄다.
❹ 나는 저녁 식사 후에 숙제를 한다.
❺ My father has a new computer. 우리 아버지는 새 컴퓨터가 있다.

2 '~할 것이다'라는 의미의 be going to 뒤에는 동사원형을 써야 한다.
❶ 오늘 오후에는 흐릴 것이다.
❷ 그들은 수족관에 갈 것이다.
❸ Tom is going to play basketball. 톰은 농구를 할 것이다.
❹ 그녀는 피아노 교습을 받을 것이다.
❺ 우리는 영화를 볼 것이다.

3 특정한 과거 시점인 last weekend(지난 주말)가 쓰였으므로 동사는 과거형이 알맞다.
• 나는 지난 주말에 미술관에 갔다.

4 특정한 과거 시점인 yesterday(어제)가 쓰였으므로 동사는 과거형이 알맞다. We와 짝이 되는 be동사의 과거형은 were이다.
• 우리는 어제 산에 있었다.

5 now는 지금 이 순간을 나타내는 말이므로 현재 진행 시제와 함께 쓰는 것이 알맞다. 현재 진행 시제는 「be동사 현재형+동사원형-ing」의 형태로 쓴다.
• 그 원숭이는 지금 바나나를 먹고 있다.

6 be동사의 부정문은 be동사 뒤에 not을 써서 나타낸다. isn't는 is not의 줄임말이다.
• 수잔의 어머니는 패션 디자이너이시다.
→ 수잔의 어머니는 패션 디자이너가 아니시다.

7 일반동사가 있는 과거 시제의 부정문은 「didn't+동사원형」으로 쓴다.
• 그들은 나무에 있는 새들을 보았다.
→ 그들은 나무에 있는 새들을 보지 않았다.

8 '~할 것이다'라는 뜻의 be going to의 부정문은 be동사 뒤에 not을 써서 나타낸다. 문장에 be동사 am이 주어져 있으므로 빈칸에는 not going to send가 알맞다.
• 나는 우리 할머니께 편지를 보낼 것이다.
→ 나는 우리 할머니께 편지를 보내지 않을 것이다.

9 대답에 동사 does가 있으므로 의문문에서 does를 써서 현재 시제로 묻는 것이 알맞다. 또한 대답에서 does가 쓰였다는 것은 긍정의 대답(Yes)을 했다는 것이다.
A: 브라이언은 토요일마다 스케이트를 타러 가니?
B: 응, 그래.

10 특정한 과거 시점(last Sunday)이 쓰였기 때문에 의문문은 과거 시제 did를 사용하여 나타내고, 그에 대한 부정의 대답을 할 때는 didn't를 쓴다.
A: 너는 지난 일요일에 네 삼촌의 농장을 방문했니?

B: 아니, 그러지 않았어.

11 will이 쓰인 의문문에 대한 대답은 will을 사용해서 한다. 뒤에 나오는 내용이 스키 강습을 받을 것이라는 내용이므로 부정의 대답(No)이 알맞고, 대답의 주어 뒤에는 won't를 써야 한다.
A: 케빈과 몰리는 수영 강습을 받을까?
B: 아니, 그러지 않을 거야. 그들은 스키 강습을 받을 거야.

12 ❹는 '~해 줄 수 있니?'라는 의미로 상대에게 부탁 또는 요청하는 의미이고, 나머지는 '~할 수 있다'라는 능력의 의미이다.
❶ 나는 연을 날릴 수 있다.
❷ 그녀는 스케이트보드를 탈 수 있니?
❸ 그는 그 바위를 들어 올릴 수 있다.
❹ 너는 내게 네 공을 빌려 줄 수 있니?
❺ 그들은 그 산을 올라갈 수 있니?

13 ❸은 '~이 틀림없다'라는 추측의 의미이고, 나머지는 '~해야 한다'라는 의무를 나타내는 의미이다.
❶ 우리는 여기에서 조용히 해야 한다.
❷ 너는 불을 꺼야 한다.
❸ 그녀는 아픈 것이 틀림없다.
❹ 너는 네 선생님 말씀을 잘 들어야 한다.
❺ 그는 잠자리에 들기 전에 숙제를 끝내야 한다.

14 첫 번째 문장의 빈칸에는 '~일지도 모른다'라는 뜻의 조동사 may가 알맞고, 두 번째 문장의 빈칸에는 '~하는 것이 좋겠다'라는 뜻의 조동사 should가 알맞다.

15 '~하지 마라.'라는 뜻의 부정 명령문은 「Don't+동사원형 ~.」의 형태로 쓰고, '매우 ~한 …이구나!'라는 뜻의 감탄문은 「What+(a/an)+형용사+명사+주어+동사!」의 형태로 나타낸다.

16 '~할 거니?'라고 미래의 계획을 물을 때는 「be동사+주어+going to+동사원형 ~?」의 형태로 쓴다.

17 '~하시겠어요?'라고 상대에게 정중하게 권유할 때는 「Would you like to+동사원형 ~?」으로 나타낼 수 있다.

18 앞 문장이 긍정일 때 부정의 부가 의문문을 쓴다. 앞 문장의 동사가 be동사 are이므로 aren't를 쓰고 주어는 These strawberries를 대신하는 they를 쓴다.

19 '~하고 있었다.'라는 뜻의 과거 진행 시제는 「주어+be동사 과거형+동사원형-ing ~.」의 순으로 쓴다.

20 '~하자.'라는 뜻의 제안문은 「Let's+동사원형 ~.」의 순으로 쓴다.

Final Test · 02
188~191쪽

1 ❹	2 ❺	3 ❷	4 ❹
5 ❶	6 ❸	7 ❹	8 ❷
9 ❺	10 ❷	11 ❺	12 ❷
13 ❶	14 ❹	15 ❸	

16 don't, to wear   **17** Does, work
18 going to help
19 You should lock the door.
20 Would you like to ride a roller coaster?

해설

1 일반동사 과거형의 부정문은 「didn't+동사원형」의 형태이다.
- ❶ I was at home this morning. 나는 오늘 아침에 집에 있었다.
- ❷ Jill read a book yesterday. 질은 어제 책을 읽었다.
- ❸ They were at the mall last night. 그들은 어젯밤에 쇼핑 몰에 있었다.
- ❹ 그는 지난 일요일에 캠핑하러 가지 않았다.
- ❺ We had fun at the zoo. 우리는 동물원에서 즐거운 시간을 보냈다.

2 「be able to+동사원형」은 '~할 수 있다'라는 뜻으로, be동사는 주어에 따라 바뀐다.
- ❶ She can make a sandwich. 그녀는 샌드위치를 만들 수 있다.
- ❷ I am not able to play tennis. 나는 테니스를 치지 못한다.
- ❸ We could not cross the river. 우리는 강을 건널 수 없었다.
- ❹ The boy cannot climb the tree. 그 남자아이는 그 나무를 오르지 못한다.
- ❺ 그들은 그 상자들을 옮길 수 있다.

3 주어인 my sister가 3인칭 단수 주어이므로 동사 like의 3인칭 단수 현재형인 likes가 알맞고, she 역시 3인칭 단수이므로 don't의 3인칭 단수 현재형인 doesn't를 써야 한다.
- 우리 누나는 사과를 좋아하지만, 토마토는 좋아하지 않는다.

4 첫 번째 문장에서 now와 playing으로 보아 「be동사의 현재형+동사원형-ing」의 현재 진행 시제임을 알 수 있다. 따라서 첫 번째 문장의 빈칸에는 be동사를, 두 번째 문장의 빈칸에는 「동사원형-ing」형을 써야 한다. '지금 축구를 하지 않고, 테니스를 치고 있다.'라는 내용이 되어야 하므로 첫 번째 빈칸은 aren't가 알맞고, 두 번째 빈칸은 playing이 알맞다.
- 그들은 지금 축구를 하고 있지 않다. 그들은 테니스를 치고 있다.

5 '~할 것이다'라는 뜻의 미래 시제는 「will+동사원형」으로 나타낼 수 있다. '해리가 음악 동아리에 가입하지 않고, 미술 동아리에 가입할 것이다.'라는 내용이 되어야 하므로, 첫 번째 빈칸에는 will의 부정형인 won't가 알맞고, 두 번째 빈칸에는 동사원형인 join이 알맞다.
- 해리는 음악 동아리에 가입하지 않을 것이다. 그는 미술 동아리에 가입할 것이다.

6 do를 사용해 질문했으므로 do로 대답한다. 긍정형은 「Yes, 주어(대명사)+do.」이고, 부정형은 「No, 주어(대명사)+don't.」이므로 알맞은 형태는 ❸이다.
- 그들은 네 전화번호를 아니? / 응, 그래.

7 did를 사용해 질문했으므로 did로 대답한다. 긍정형은 「Yes, 주어(대명사)+did.」이고, 부정형은 「No, 주어(대명사)+didn't.」이므로 알맞은 형태는 ❹이다.
- 제니는 자기 휴대 전화를 찾았니? / 아니, 못 찾았어.

8 be going to를 사용해 질문했으므로 be동사로 답한다. 긍정형은 「Yes, 주어(대명사)+be동사.」이고 부정형은 「No, 주어(대명사)+be동사+not.」이므로 알맞은 형태는 ❷이다.
- 너는 이번 토요일에 썰매를 타러 갈 거니? / 응, 그럴 거야.

9 조동사가 있는 의문문의 형태는 「조동사+주어+동사원형 ~?」이다. can을 사용해 질문했으므로 can으로 답해야 하며, No라고 대답했으므로 부정형 can't를 쓴다.
- A: 네 누나는 쿠키를 구울 수 있니?
  B: 아니, 못 해.

10 then은 주로 과거와 함께 쓰이는 표현이고 be동사 was가 이미 제시되어 있으므로 「be동사의 과거형+동사원형-ing」의 과거 진행 시제가 되어야 한다. 따라서 '읽다'라는 뜻의 read를 reading으로 쓴다. 긍정의 대답은 「Yes, 주어(대명사)+be동사의 과거형.」이므로 답은 ❷이다.
- A: 너희 아버지는 그때 신문을 읽고 계셨니?
  B: 응, 그러셨어.

11 첫 번째 빈칸에는 '~하지 마라'라는 뜻의 「Don't+동사원형 ~.」에 필요한 don't가 알맞다. 두 번째 빈칸에는 일반동사가 쓰인 현재 시제 긍정문의 부가 의문문인 「don't[doesn't]+주어?」가 필요한데, 주어가 you이므로 역시 don't가 알맞다.
- 맥스야, 거실에서 달리지 마라.
- 너는 새 카메라를 가지고 있어, 그렇지 않니?

12 '~해 주겠니?'라는 뜻의 의문문은 Will you ~?로 쓴다. 명령문의 부가 의문문은 역시 will you?이므로 두 빈칸에 공통으로 알맞은 것은 Will[will]이다.
- 내게 네 빗을 빌려 주겠니?
- 그 강아지를 잘 돌봐라, 알았지?

13 '내가 ~할까?'라는 뜻으로 제안하는 표현은 Shall I ~?로 쓴다. 따라서 첫 번째 빈칸에는 Shall이 알맞다. '~해도 된다'라는 허락의 뜻을 가진 조동사는 can 또는 may이므로 두 번째 빈칸에는 may가 알맞다.

14 '~해야 한다'라는 의무의 뜻을 가진 조동사는 must이고, '~하는 것이 좋겠다'라는 충고의 뜻을 가진 조동사는 should 또는 had better이다. 따라서 빈칸에는 must와 had better가 알맞다.

15 첫 번째 문장은 '…이 매우 ~하구나!'라는 뜻으로 형용사나 부사를 강조하는 「How+형용사[부사]+주어+동사!」형태의 감탄문이다. 그리고 두 번째 문장은 '~해라, 그러면 …할 것이다.'라는 「명령문, and ~.」형태의 문장이다. 따라서 빈칸에는 How와 and가 알맞다.

16 '~할 필요가 없다'라는 표현은 don't[doesn't] have to이다. We는 1인칭 복수이므로 don't를 쓴다.

17 일반동사가 있는 문장의 의문문은 do나 does를 사용해서 「Do[Does]+주어+동사원형 ~?」으로 쓴다. your mother는 3인칭 단수 주어이므로 Does를 쓴다.

18 '~할 것이다'라는 뜻으로 미래 시제를 나타내는 표현에는 will과 be going to가 있는데, I'm 뒤의 빈칸이 세 개이므로 going to help를 쓴다.

19 '~하는 것이 좋겠다.'라는 의미의 표현은 「주어+should+동사원형 ~.」의 순으로 쓴다.

20 '~하시겠어요?'라는 의미의 표현은 「Would you like to+동사원형 ~?」의 순으로 쓴다.